ele-king臨時増刊号　仮想空間への招待——メタヴァース入門

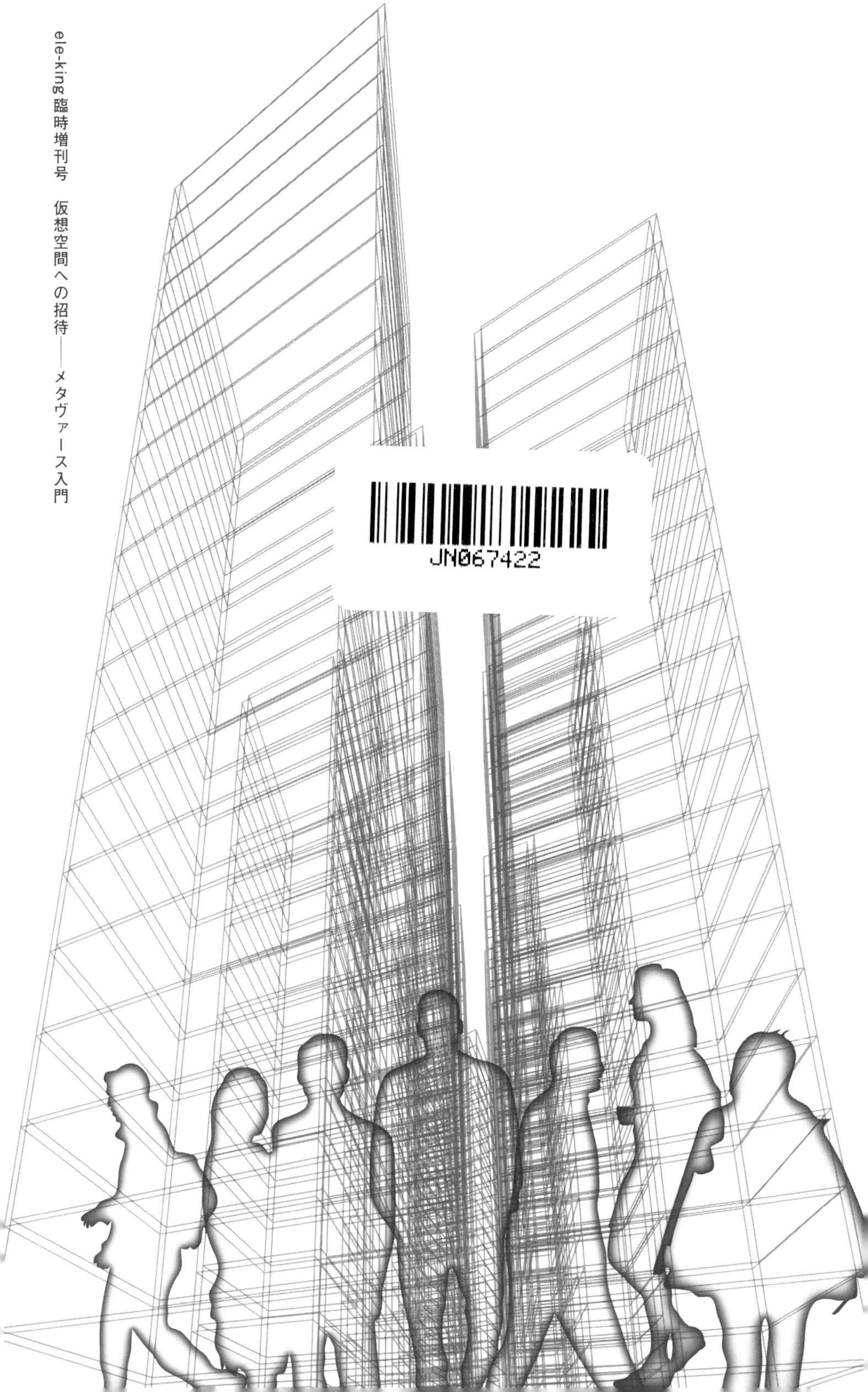

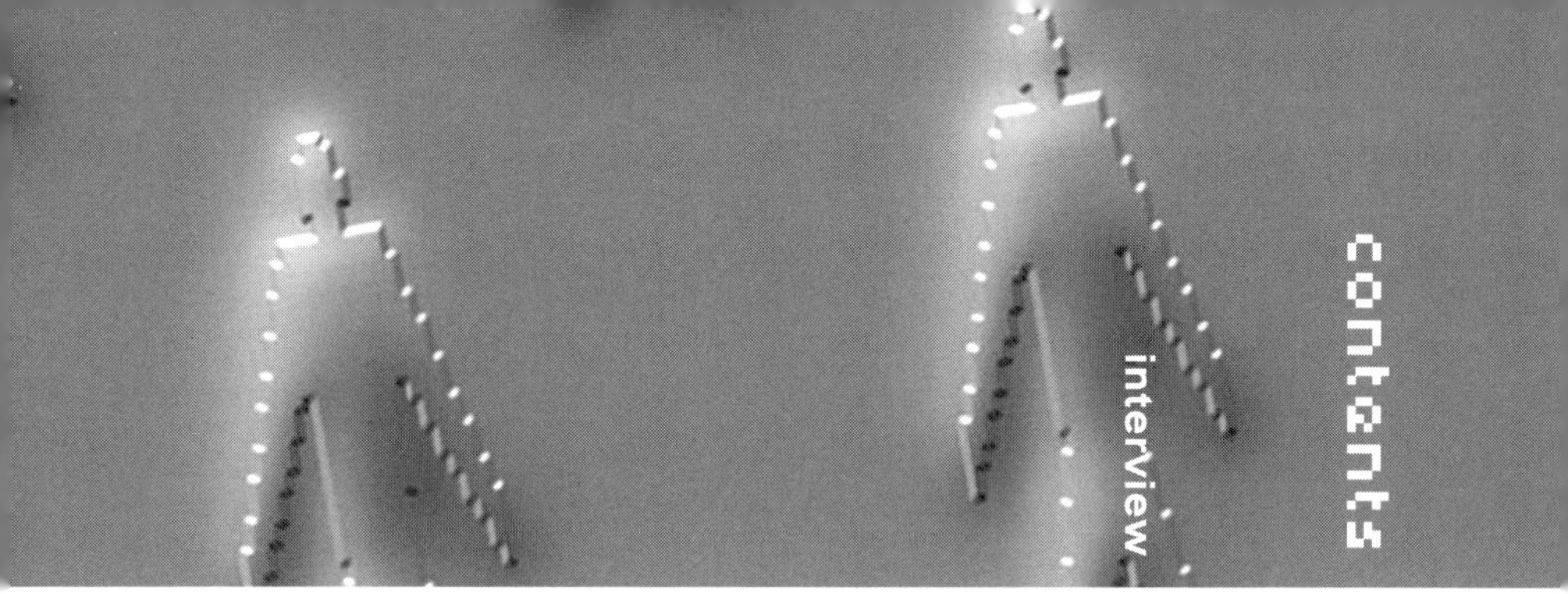

contents

ele-king臨時増刊号　仮想空間への招待──メタヴァース入門　目次

表紙＆裏表紙画像＝デジタルハリウッド大学大学院、セカンドライフ研究室
扉イラスト＝真壁昂士

interview

how-to

column

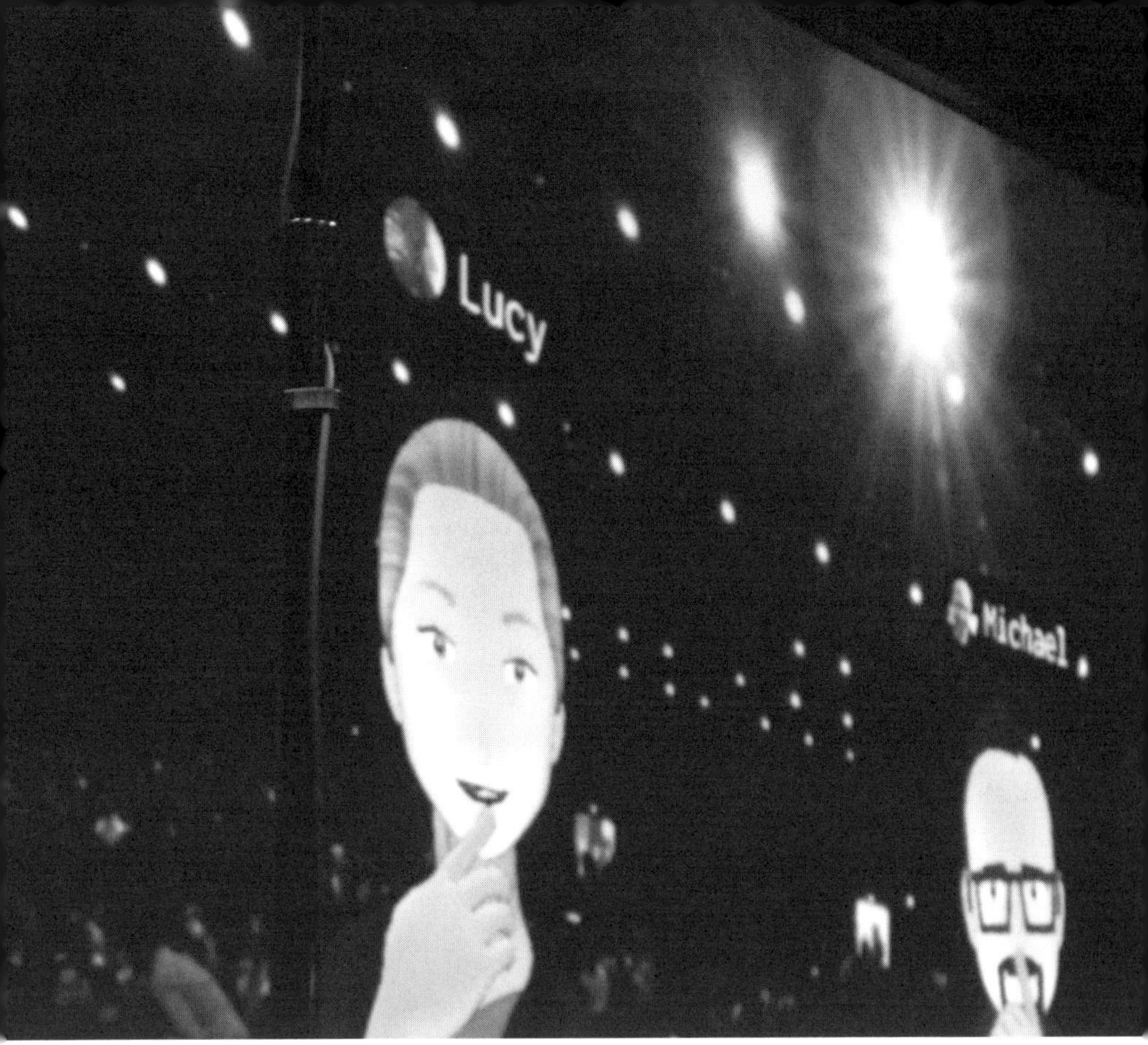

去る7月、GAFAMの一角を成す米フェイスブックの最高経営責任者＝マーク・ザッカーバーグが、同社をソーシャル・メディア企業からメタヴァース企業に転換する構想を発表し大きな話題となった。同社はすでに2014年にVRヘッドセットを開発する企業Oculus（オキュラス）を買収し、2019年には大ヒットVRリズム・ゲーム『Beat Saber』の開発元であるBeat Gamesを買収、この8月にはOculusのヘッドセットを利用するヴァーチャル会議室「Horizon Workrooms」のβ版がリリースされている。明確なヴィジョンがあるということだ。

日本の経済産業省も7月に「仮想空間の今後の可能性と諸課題に関する調査分析事業」の報告書を発表し、いずれ実現されるだろうものとしてメタヴァースを調査対象に含めている。奇しくも、仮想空間を舞台にした映画『竜とそばかすの姫』が公開されたのも同月であった。

いま、世界がメタヴァースに熱い視線を向けている。

メタヴァースとは何か？　厄介なことに、オンライン上の3D仮想空間であるという点を除いて、定義は共有されていない。〝インターネットの後継〟と表現する者もいる。いずれ実現されるだろうもの＝現時点ではまだ実現されていないものと捉える見方もあれば、すでに実現されていると考える

2016年10月、サンノゼでおこなわれた開発者向けのカンファレンスでVRヘッドセットを装着し講演するザッカーバーグ。写真：AFP/アフロ

向きもある。仮想空間といえば、00年代中葉に爆発的なブームとなった「セカンドライフ」を思い出す者も多いだろう。

後者の視点に立てば、メタヴァースとして近年話題になっているのは、アメリカの「VRChat」や日本の「cluster」といった、ヴァーチャルSNS／ソーシャルVRと呼ばれるプラットフォームないしはサーヴィスである。パンデミックに見舞われた2020年、渋谷区がハロウィンを「バーチャル渋谷」で過ごすよう呼びかけたことは記憶に新しいが、その「バーチャル渋谷」が用意されたのはcluster上だった。

あるいは『フォートナイト』や『PUBG』、『Roblox』といったオンライン・ゲーム／ゲーム型コンテンツもメタヴァースとして捉えられることが多い。とくに『フォートナイト』は2020年、アメリカの人気ラッパー＝トラヴィス・スコットが同ゲーム内でライヴを実施したことで大きな反響を巻き起こした。

いまや私たちの生活はインターネットなしでは成り立たないほどになっている。もしメタヴァースが〝インターネットの後継〟だとしたら、近い将来、私たちの暮らしや社会のあり方までもが根本的に変わることになるかもしれない。いったいメタヴァースとは何なのか？　さまざまな観点から特集する。

interview

三淵啓自

メタヴァースが変える世界

先駆者セカンドライフの持続性から未来を探る

2000年代半ばころ。それは爆発的に世界じゅうへと広まり、一大ブームを巻き起こした。早耳の情報通はもちろん、普段ビジネスやテック系のニュースに関心を示さない者たちのあいだでさえも話題になったくらいだ。しかしそれはその後すぐに鳴りを潜めてしまった……ように見えた。「早すぎた」と言うべきなのかもしれない。セカンドライフが現在でも存続し、自律的な社会・経済圏を維持していることは「成功」以外の何ものでもないだろう。フェイスブックを筆頭に様々な企業がメタヴァースに熱い視線を送り、デヴァイスも普及しつつある昨今、先駆者としてのセカンドライフの来し方を振り返っておくことは避けて通れない。18年という時間の蓄積から、メタヴァースの未来を占う。

三淵啓自（みつぶち・けいじ）
1961年東京生まれ。スタンフォード大学コンピューター数学科修士卒業後、米国オムロン社にて人工知能や画像認識の研究に携わる。退社後、米国でベンチャー企業を設立。その後日本で、日本ウェブコンセプツ、米国で3U.com社を設立。ユビキタス情報処理や画像認識システムなど、最先端のヴァーチャル・システムの開発を手がけている。デジタルハリウッド大学院専任教授、メタバース協会常任理事、先端IT活用推進コンソーシアム顧問。

メタヴァースは現実を変える

――単刀直入にお伺いしますが、メタヴァースとはずばり何なのでしょう？

三淵　メタヴァースは、3D空間のあるコミュニケイション・プラットフォームと定義できます。それが実現すると、情報へのアクセスの仕方が変わります。

これまでのウェブをセマンティック・ウェブと呼ぶのですが、それは言葉や数値などの情報によって整理された左脳的な空間でした。たとえばある情報が必要なとき、その情報が本の形になっていれば、その本を見つけて読めばいいですよね。ですがタイトルを忘れてしまっていた場合グーグルでは検索できず、その本には辿りつけません。でも本棚に並べていたら、タイトルや著者名を忘れていても空間的にその本を手にとって、必要な情報に辿りつくことができますよね。自分で決めた場所に置いておいたり、色をつけたり形を変えたりして並べておくことで、情報を感覚的に捉えることができます。

セマンティック・ウェブが左脳的な情報空間だとしたら、メタヴァースは右脳的な情報空間です。これまでのコンピュータは、左脳的に優秀ないわゆる理系の人たちにとって使いやすいものでした。それがメタヴァースでは、右脳的な人でも感覚的に情報にアクセスすることができるようになります。そこが大きな違いですね。これまでのウェブはマウスを使って二次元を見る、または二次元の画面で三次元を見るものでした。インターフェイスとしてすごくプリミティヴだったのです。それがVRの登場により、より三次元に近づきました。感覚的にわかりやすくなり、自分と情報とのやりとりがよりシームレスになりました。それが現在の状況です。VR用のデヴァイスの普及はまだまだですけれど、Oculus Quest 2が出てきて変わりはじめています。

——Oculus Quest 2の名前はよく見かけますね。

三淵 アメリカでは3万円を切ったという話もありますし、安いデヴァイスが出まわりはじめています。安いデヴァイスが生まれてきたのは、スマホが普及したおかげなんですよ。スマホが量産されるようになったことで、スマホのサイズの液晶が安くなりました。そのおかげでOculus Quest 2が3、4万円で出せるようになったんです。ヘッドマウント・ディスプレイ専用の液晶は非常にコストがかさみます。もしスマホの液晶を流用できなかったら、おそらく数百万のデヴァイスになり、普及できなかったでしょう。

現在はまだそういったデヴァイスを装着する必要があるため面倒臭い部分もありますが、次

研究員が、メタヴァース実験空間（セカンドライフ）でアヴァターで実験をしている場面
画像提供：デジタルハリウッド大学大学院、セカンドライフ研究室

世代のデヴァイスではいずれ触覚などにも対応するようになって、情報へのアクセスがよりシームレスになっていくでしょう。

――ミラーワールドという単語もよく目にしますが、これはメタヴァースとは違うのですよね？

三淵　ミラーワールドは、現実世界から取り込んだデータをヴァーチャル空間に持っていく技術のことです。空間をスキャンして3D空間を再現したり、または、多方向からの写真を解析し3D空間にしたり、人間をスキャンして三次元のキャラクターにする技術に近いもので、「ヴァーチャル化」のことです。

　これまでテクノロジーの進化には大きく四つの段階がありました。デジタル革命、インターネット革命、ソーシャル革命、ヴァーチャル革命の四つです。デジタル革命では、モノのデータを情報空間のなかに入れ込みデジタル化しました。デジカメやCD-ROMも、アナログ写真やレコードがデジタル化しましたね。それにより、無限に劣化なくコピーが可能になりました。

　その後起こったのがインターネット革命です。物事の流れや通信、流通といったコミュニケイションを情報空間に入れ込む。それ以前はリアルのワイヤーでつながっていましたからね。

　ソーシャル革命とは、フェイスブックやツイッターのように、人間

の動きを人間自身によって情報空間に入れ込むことです。たとえば「ラーメン食った」とツイートすることは、「ラーメンを食った」という情報をその人自身でツイッターの情報空間に入力することです。

そしてその次に来たのがヴァーチャル革命。リアルの空間自体を情報空間のなかに入れ込むことで、メタヴァースがこれにあたります。デジタル革命から少しずつ、情報空間のなかに入れていくものが増えていっているわけです。全てを情報空間内で扱えるようにするという方向に進んでいるんですね。

そしていま起きているのが物質革命です。今度は逆に、入れ込まれた情報からリアルを変えていくという方です。3Dプリンターやドローンがそうですね。ドローンは、GPSで得た情報を仮想空間でシミュレイトし、自分のアクテュエイター（搭載された駆動装置）をコントロールすることで目的地まで飛びます。情報空間に入れられた情報が、現実空間を変えていくという流れですね。このように世の中が変わっていくことを、落合陽一さんは「魔法の世紀」と呼んでいました。

スマホで地図を見ながら道を歩くことができるのも物質革命の結果です。スマホで地図が見られるのは、情報空間のなかに地図という情報が入っているからです。その地図を見ることによって現実の人間の行動が変わります。あるいはもっと前の、携帯電話の登場自体も物質革命でした。昔は人と待ち合わせるとき、「駅のどこで何時に」と事前に決めていましたよね。でもいまは、駅についてからスマホで「どこ？」と聞けます。情報が行動を変えているのです。

――なるほど。ではメタヴァースは、どのように私たちの生活を変えるのでしょう？

三淵 たとえば、メタヴァース内ではお金をかけずにビルを建てることができます。あるいは自分にその技術がなかったとしても、100円、200円程度で買うことができます。自分の理想の世界をあれこれ試行錯誤することができるんです。それは人間の考え方、思考を変えます。たとえば「広い土地が欲しい」という欲求が「VRがあるから要らない」に変わるかもしれません。旅行もVRで十分となるかもしれません。

もちろん、まだ匂いなどリアルのほうが情報量が多いですので、私はリアルのほうがいいと思っています。ただ、今日のように格差が広がりいろんな意味でストレスの溜まる社会においては、はけ口が必要になります。自己実現ができないストレスなどをメタヴァースがカヴァーすることはありえるでしょう。

これは昔よく言われた話なのですが、テレビが野球やプロレスのようなスポーツを放送するのは、社会のストレスを発散させるためだそうなのです。人びとにスポーツを観戦させてストレスを発散させることで、社会のストレスを沈静化させます。その説が正しいかどうかはおくとして、メタヴァースはコストがかかりませんから、そういう役割を果たす可能性もあります。逆に言えば、悪用されると怖い技術でもあります。洗脳することも簡単ですから、カルト宗教のようなものが出てきて、信じてしまう人も出てくるでしょう。ですから今後、いろいろと制約や規制が議論されていくと思いますね。

――先ほど少しお話に出ましたが、将来的には嗅覚や触覚なども再現されるようになるのでしょうか?

三淵 五感全てをカヴァーするのがヴァーチャル空間の目標ではあります。将来的には、それこそ『マトリックス』の世界のようなこともありえるかもしれません。テスラのイーロン・マ

これまでのコンピュータは、左脳的に優秀ないわゆる理系の人たちにとって使いやすいものでした。それがメタヴァースでは、右脳的な人でも感覚的に情報にアクセスすることができるようになります。そこが大きな違いですね。

スクは脳にチップを埋め込む取り組みをやっていますが、脳に情報を逆流させれば、仮想空間内で五感全てを再現することも実現できるかもしれない、と言われてはいます。まだ実験段階ですけれど。でも人間の脳はまだまだわからないことだらけですし、個人差も大きいですから、現時点ではまだＳＦの話ですが、いつか可能になるかもしれません。

セカンドライフの特徴

――三淵さんは、00年代後半ころに大きな話題になった、アメリカのリンデン・ラボ社が開発・運営するメタヴァース「セカンドライフ」を研究されてきました。それは、最近話題にのぼる他のメタヴァースとどう違うのですか？

三淵　セカンドライフはもう18年以上続いています。２００６年にアメリカの経済誌『BusinessWeek』に取り上げられ、世界じゅうに広まっていきました。アンシェ・チェンというアヴァター名のドイツ国籍の中国の方がカヴァー・ストーリーを飾り、「年間１０００万円稼ぐ人がいる！」と話題になったんです。その頃、アメリカにいた後輩から「リンデン・ラボに投資する。日本でも展開するから手伝ってほしい」という話を受け、「面白そうだな」と思ったのが関わるように

なったきっかけでした。

セカンドライフの最大の特徴は、その世界が民主的につくられたものであるという点です。セカンドライフの空間内にはいろんな街やショッピングモールがありますが、その99・9%以上がユーザーによってつくられたものなんです。会社がお金をかけて社員につくらせて提供しているものではない。リンデン・ラボはプラットフォームだけつくり、「あとは勝手にやってくれ」というスタンスです。たとえばフェイスブックやツイッターのコンテンツは、ユーザーがつくっているものですよね。それと同じようなことが、SNS以前に仮想空間内で成立していたというのは奇蹟的なことだと思います。

――セカンドライフ内でつくられたものの権利はどうなっているのでしょう?

三淵 最近NFT（Non-Fungible Token：非代替性トークン）が話題になっていますよね。ブロックチェーン上で発行される、唯一無二のデジタル資産です。それとは仕組みが異なるのですが、セカンドライフ内でつくられたオブジェクトにもすべて、ユニークな（固有の）IDが付与されます。コピーしてもIDは別になりますので、ニセモノはすぐにニセモノだとわかります。誰がつくったのか、誰の所有物なのかという情報が全てのオブジェクトに付随しています。そのIDはシステムとして組み込まれているものですので、トレース（追跡）することができます。このトレーサビリティ（追跡可能性）の高さもセカンドライフの特徴です。

セカンドライフは著作権管理の観点から見て興味深い側面を持っています。たとえば映像であれば、テレビの映像、映画の映像、ユーチューブの映像などがありますが、著作権的にはそれぞれ別の権利なんですね。縦横比などがメディアによって異なるからです。セカンドライフ

ステージで使うイヴェント用のアイテムを試している様子
画像提供：デジタルハリウッド大学大学院、セカンドライフ研究室

の場合、空間のなかに映像が出てくるわけですが、ユーザーがどの角度で観るかによって縦横比が変わりますし、形も台形になったりして変化します。そのためユーザーが観ている角度は、配信者や映像制作者の意図に合っていないかもしれません。その場合、権利的にはどうなるのかという問題が出てきます。

もっとわかりやすい例で言えば、セカンドライフ内でドラえもんのアヴァターをつくったり、既存のキャラクターの服をつくった場合、その権利はどうなるのかという問題もあります。

そこで、セカンドライフでは全てのオブジェクトがトレースできるわけですから、あえてユーザーに制限を課さず、好きにモノをつくらせます。そしてそれが販売されるときに、著作権料を徴収する——そういう実験をしたことがありました。すると、新たに面白いコンテンツが生まれたり、映像を使ってパフォーマンスをする人や映像でカラオケをする人が出てきたり、いろんな現象が起こったんです。

他にも、たとえばバーでマスターに話を聞いてもらっているシチュエイションがあるとします。そのバーで音楽が流れていた場合、その著作権はどうなるでしょう。昔のJASRACの定義を当てはめると、公衆放送と同じ扱い、つまりインターネットで音楽を流しているのと同じ扱いになるんですが、その空間で音楽を聴いているのはマスターとお客のふたりだけです。これを公衆放送と同じ扱いにしていいのかという問題があります。これはまだ解決されていなくて、今後より本格的にメタヴァースが普及していったとき議論になるでしょう。

いずれにせよ、全てのコンテンツがトレースできるということは、これほど著作権管理がしやすい空間はないということですね。

ヴァーチャルで固定観念に捕われない生活を送ることで人生を楽しめるようになるかもしれません。そういう可能性をシミュレイトできるようになりますので、メタヴァースは人間とは何かということを改めて見つめ直すプラットフォームになりうるんです。

第四回セカフェス　セカンドライフ内のステージやプレイグランドでイヴェントをおこなっている様子
画像提供：第四回セカフェス

ちなみにほとんどのSNSでは、著作権はそのSNS側に帰属するような規約になっています。セカンドライフでは著作権が全てユーザーに帰属しているため、つくったものは全て自分の権利になります。そのため販売したりもできます。この仕組みを活かして、ユーザーたちが自分たち自身で世界を創造できたんです。

アヴァターの役割

──メタヴァースに入るにはアヴァターを用いますが、このアヴァターとはどういう役割を果たすものなのでしょうか?

三淵　キャラクターという概念と比較するとわかりやすいでしょう。日本のゲーム、とくにRPGでは、シナリオや世界観だけでなく、キャラクターもユーザーを惹きつける大きな要素です。最初はそこで与えられたキャラクターを使ってゲーム内でコミュニティができあがるわけですが、一度コミュニティができてしまうと、みんな勇者や魔術師になり、同じ格好になってしまいます。そうなると自己主張がしたくなってきて、通常と違う色の甲冑をかぶったり、レアなアイテムを身につけたりします。そして究極的には、オリジナルのキャラクターをつくりたくなると思います。それがアヴァターです。

アヴァターは、リアルにおけるペルソナと同じで、位置づけとしてはヴァーチャルにおけるペルソナです。リアルでは、たとえば学校や職場、家など、その場に合わせて態度や言葉遣いが変わりますよね。あるいは、大人と話すときと小さい子どもと話すときでも言動が変わります。それが、ヴァーチャルだと自分の見た目まで変えられます。男にも女にもなれますし、動

Fantasy Faire 2021
イヴェントでクリエイターが再現したファンタジーの世界を探索している様子
画像提供：デジタルハリウッド大学大学院、セカンドライフ研究室

物にもドラゴンにもなれます。精神的な制約から解放されますので、たとえばリアルで「女性だからこうしなきゃいけない」という通念に縛られている人が、ヴァーチャルで固定観念に捕われない生活を送ることで人生を楽しめるようになるかもしれません。そういう可能性をシミュレイトできるようになりますので、メタヴァースは人間とは何かということを改めて見つめ直すプラットフォームになりうるんです。

こういう話をすると、アヴァターを用いて悪さをするやつが出てくるんじゃないか、と心配されます。実際そういう人はいます。ただ、これがアヴァターの面白いところなんですが、最初は適当につくったものだったとしても、ずっと使っていくと自然と愛着が湧いてくるんですね。服を買ったりしてアヴァターを整えて、「いいアヴァターだね」と友人から褒められたりすると、自分自身が褒められている気になるんです。そうすると人は、悪いことをしなくなるんですよ。

セカンドライフの場合は、罪を犯した人には罰が科されます。「BAN」というんですが、セカンドライフに入れなくするのです。一見、外へ追い出すだけのように見えますが、じつはこれは牢屋に閉じ込めるのと同じなんです。セカンドライフで活動ができなくなるわけですから。もちろん、他のアヴァターを用意すればまた入ることはできますが、名前も変わってしまいますし、それまで築いてきた財産も使えません。もとのアヴァター

の存在価値がゼロになります。そのリスクをとってまで罪を犯すか、という話です。

アヴァターの概念は価値の創造とも関わっています。たとえばメタヴァース内で仕事や会議をする機会が増えていくと、最初は「どんなアヴァターでもいいや」と適当につくって遊んでいた人たちが、「スーツを着たほうが良さそうだ」と考えるようになり、スーツが売れるようになります。ブランドも参入してくるでしょう。そのスーツを持っていることがステータスであるとみんなが認識するようになれば、ヴァリューが生まれます。トレーサビリティがありますから、NFTとして管理も可能ですしね。そのようにメタヴァースは、価値が創造されるプロセスを見せてくれるのです。

プラットフォームは本来お金にならないもの

――メタヴァースは大きなビジネス・チャンスになるということですか?

三淵 価値がどのように創造されるかというお話です。価値が上がればお金が絡んできますのでビジネスの話にもなりますが、私が想定しているのは、どこかの業者が商品をつくって儲けるという話ではなく、多くの人たちがいろいろなものをつくることによって多様性が生まれるということです。その取引によって大きな市場が生まれる可能性はあります。メタヴァース内では工場も要りませんし、時間さえかければ何でもつくれますし、それを売れば報酬が得られ、セカンドライフではその対価をUSドルに換金できます。
　現在セカンドライフで最も売れているのは服ですね。他人から観られたときにかっこいい姿のアヴァターですと、より話しかけられるようになったり、その人自身の評価が高くなります。実際、セカンドライフ内でプロのモデルとして活躍している人もいます。
　アマゾンの戦略は「ロングテール」と言われますよね。少数の人気商品に頼るのではなく、そこまでは売れない多品種の販売の積み重ねで利益を得る方法です。メタヴァースだと在庫を置くための空間が必要ありませんから、いくつ商品を持っていても困らないですし、いつでも売ることができる。ひとつひとつが１００円だったとしても、多様な商品をコツコツ増やしていけば、大きな利益につながります。これまでのビジネスでは工場や倉庫を探したり、大量生産するロット数を考えなければなりませんでしたが、メタヴァースではそんなことを考える必要はありません。

——倉庫などがネックで起業できなかった人たちができるようになる、と。

三淵　仮想空間はプロモーションにも活用できますしね。人を集めれば、広告としても機能しますから。たとえば、ちょっと変わったオブジェクトを無料で配布すれば、それを誰が着ているか、どういう場で着ているかという情報が全てトレースできますので、リサーチもできますし、デザインなどにも反映できます。
　これまでのＳＮＳというのは、人びとが自分で自分の情報を上げていたわけです。仮想空間の中では、サーヴァー上の全ての人、動きがトレース可能ですから、人びとが上げてくる情報

プラットフォームというのは、運営する側ではなく他の人たちが儲かるようにしなければいけないんです。自分たちがプラットフォーム上で稼ごうとするなら、それはプラットフォームになりえない。ユーザーが稼げるようにしなければいけないんです。

に頼らなくても情報を得ることができます。これはマーケティングの観点からするとものすごいことです。あるプログラムを書いてそれで遊んでもらったら、そのデータはサーヴァーにキャッシュされますので、その人がそのプログラムでどのようなことをやったかトレースできます。ヴァーチャル・ワールド内のトレンドもすぐにわかります。

――そういった追跡可能性はメタヴァース全般に共通する特徴なのですか?

三淵 コンピュータの３Ｄ空間シミュレーションにおいては、同じ空間上に、同一ＩＤは存在できないんです。ただ、通常のＭＭＯＲＰＧのようなメタヴァースなんかですと、同じ空間をコピーして、何台もサーヴァーを置いて、そこで人びとを遊ばせるので、ユニークとは限りません。セカンドライフの場合、空間は唯一無二で、同じ空間はありません。現在セカンドライフは東京都くらいの広さがあるんです。そこで、いままでおこなわれてきた様々なデータ、数億人の人たちによってつくられてきたものが18年間分も累積している。これは他のメタヴァースにはない特徴ですね。

――２００６年当時は「稼げる」ということでセカンドライフが注目されたわけですが、核心はそこではなかったということですね。

三淵 じつは当時、仮想世界は30個くらいあったんですよ。でも全て消えてしまいました。仮想世界とはプラットフォームですから、本来お金にならないものなんです。そこで稼ごうとするからみんな失敗します。たとえばmeet-meというメタヴァースがあって、トヨタも関わっていたのですが、２０１８年にサーヴィス終了になりました。

プラットフォームというのは、運営する側ではなく他の人たちが儲かるようにしなければい

セカンドライフは民主的な形で育ってきたかつてない空間なんです。それこそがセカンドライフ最大の価値です。ＧＡＦＡのように中央集権的にコントロールする形ではなく、住民たちが自分たちの手で世界をつくりあげ、それが18年も続いている。そこがセカンドライフの面白いところだと思います。

けないんです。自分たちがプラットフォーム上で稼ごうとするなら、それはプラットフォームになりえない。ユーザーが稼げるようにしなければいけないんです。セカンドライフはそうなっています。ユーザーがモノをつくって、互いに売買して、いまではGDPで60億円くらいの総生産があります。

セカンドライフの本質がわかる面白いエピソードがあります。あるとき、サーヴァーの管理が大変だからということで、リンデン・ラボが、ユーザーが作ったオブジェクト(物)の維持にチャージしようとしたことがありました。そうしたら、セカンドライフの住民たちがデモやストライキを起こしたんです。「この世界をつくっている人たちにお金を課すとはどういうことだ」と。結果、チャージの案はなくなりました。

そんなふうに、セカンドライフは民主的な形で育ってきたかつてない空間なんです。それこそがセカンドライフ最大の価値です。GAFAのように中央集権的にコントロールする形ではなく、住民たちが自分たちの手で世界をつくりあげ、それが18年も続いている。そこがセカンドライフの面白いところだと思います。

プライヴァシーと情報管理

――7月にフェイスブックのマーク・ザッカーバーグが、同社をメタヴァース企業にすると発言し話題になりました。SNSの成功者・第一人者であるフェイスブックがメタヴァースに力を注ぐのはなぜですか?

三淵　SNSはいま、個人情報の取り扱いの面ですごく縛りを受けています。これまではSN

S上の人びとの情報を解析して広告を打ったりすることで収益を上げていたのですが、ヨーロッパでは個人情報を使ってはいけないことになり、日本でもそう言われはじめています。これまでは「中味は見ていません、人工知能が解析しているだけです」という建前でやってきましたが、それもできなくなってきました。つまりSNSの運営を維持すること自体が難しくなる可能性が出てきたのです。

メタヴァースであれば全てのデータをトレースできますから、それがフェイスブックの狙いでしょう。あくまでフェイスブックのプラットフォーム内、サーヴァーのなかで起きることを同社がトレースすることに関しては誰も文句を言えないはずだと、そういう話ですね。ただ、そのうち独立系のサーヴァーが出てくるでしょう。たとえば、フェイスブックのサーヴァー内で会議をやる場合、運営している側はその内容を簡単に盗聴できますからね。

プライヴァシーや情報の管理は、これからすごく重要になっていくでしょう。「ヒューマンAPI」という概念があります。これは、人が自分の情報をどこまで開示するかの管理を自分でやるというものです。これからの時代、中央が管理する仕組みはもう難しい。フェイスブックもそうですが、運営側で管理するから大変なことになるわけです。労力的にも大変な上に、プライヴァシーの観点からユーザーの情報は使えませんということになったら、何のためにフェイスブックを運営しているのかという話になります。ですのでこれからは個人が分散的に、自分のデータを管理していく方向に進むでしょう。

ユーザー各人が「ここまでは公開していいけど、これ以上はダメ」という判断を下し、「家族には見せてもいい」「医者には見せてもいい」といったプライヴァシーのレヴェルを管理していく。そうすれば、今後よりリアルと情報空間が繋がっていった際に、たとえばリアルで事故があって救急隊員が駆けつけたとき、その人のアレルギー情報はわかるけれどそれ以外のことは見られないとか、地震で崩れた建物のどこに人がいるかはスキャンでわかるけれど個人情報は見られない、といったような形で、仮想空間を活用しつつプライヴァシーも尊重される時代が訪れるでしょう。大切なのは、自分の情報は自分で管理するということです。

――最後に、これからメタヴァースにアクセスしてみようと思っている初心者に向けてメッセージをお願いします。

三淵 情報にはデマもあります。受け取り方によって人が争ったりもします。ワクチンに毒が入っているとか、5Gで脳がコントロールされるとか、一部で言われていますよね。ソースを辿ってみると明らかに疑わしい映像だったりするんですが、やはり尾ひれがつくんですよね。そしてそれを信じる人もいます。

情報に依存すればするほどそういった弊害も出てくるでしょう。情報空間には本当にいろんな情報がありますので、そのまま鵜呑みにせず、自分でしっかり確かめることが重要です。とはいえ社会にとって有益な情報かどうかを判断するのはすごく難しいですから、有益な情報が発信されているかどうか、誰かがレイティングする必要があるとも思っています。

何を信じるか自体は個人の自由ですが、他人が信じているものを否定するのは、私はおかしいと思っています。自分が自由でありたければ、相手も自由でなくてはなりません。情報空間がオープンになればなるほどやりたいことができるようになっていきますので、他人の空間を邪魔する必要はなくなっていくはずです。

そのためにもやはり多様性が重要だと思います。効率の面から考えれば、多様性は邪魔なものなんですね。効率を優先するなら、みんな同じであるほうがいいに決まっています。けれども人間にはもともと多様性がある。現実社会では、多様な人びとが自己実現のためにやりたいことをやろうとすると、どうしても歪みが生じてしまいます。ですが、仮想世界なら本当に何でも自分の好きなことができる。仮想世界であれば、人に迷惑をかけずにそれができますからね。

（取材＝小林拓音／写真＝小原泰広）

Second Life Destinations - Cocoon
https://www.youtube.com/watch?v=T2XSqmpzUKM

Second Life（セカンドライフ）のスタート方法
- 新ユーザー チュートリアル
https://www.youtube.com/watch?v=e2xYkU4WJ_s

how-to

文＝編集部

メタヴァースを体験するには何が必要？
事前に用意しておきたいもの

Alamy/アフロ

Oculus Quest 2

昨今のメタヴァースへの注目度の高まりは、この「Oculus Quest 2」の普及による部分も大きい。注意点は、使用に当たりフェイスブックのアカウントが必要なこと。

アマゾンの商品ページはこちら
https://www.amazon.co.jp/dp/B09B9F7439/

ここでは「メタヴァース」をすでに実現しているものと捉え、それらを体験するのに必要なデヴァイスを紹介します。

ただPC画面を眺めているだけで楽しめる仮想世界もありますが、やはり3D空間を体験するにはVRヘッドセット（VRゴーグル）を準備したいところ。

VRヘッドセットは大きく２種類に分別できます。PCに有線で接続するタイプと、PC不要のスタンドアローン・タイプです。プレイ時には手や頭など身体を動かすことになりますから、ケーブルに引っかからない方がいいですし、何よりPCに接続せずとも気軽に使えるという点で、スタンドアローン型が初心者には魅力的です。

最大のおすすめは「Oculus Quest 2」です。ハイスペックなPCは不要、価格も37,180円と安価です（128GBモデルの場合）。話題の「VRChat」も対応しています。

ほかに有名なVRヘッドセットには「VIVE」シリーズがありますが、こちらはPC接続型で、どれも10万円以上かかります。PCも相応のスペックのものが必要となり、上級者向けと言えるでしょう。

下記のサイトでは、各種ヘッドセットが紹介されていますので、参考にしてみて下さい。

また、今年4月に刊行された書籍『仮想空間とVR』は、初心者に必要な情報を網羅した非常に丁寧なつくりの入門書です。ぜひお手にとってみてください。

MoguLive

【2021年最新版】VRヘッドセットはどれを買うべき？ 用途ごとのおすすめを紹介
https://www.moguravr.com/vr-headset-by-use-recommended-introduction/
（2021年9月12日付）

WIRED

VRを体験するなら、どのヘッドセットを選ぶべき？ 初心者のための購入ガイド
https://wired.jp/2021/09/16/best-vr-headsets-in-this-reality/
（2021年9月16日付）

株式会社往来（著）『未来ビジネス図解 仮想空間とVR』（エムディエヌコーポレーション）
https://books.mdn.co.jp/books/3220303038/

interview

宇川直宏

無限の幻想を共有すること

ヒッピー・ムーヴメントが
果たせなかった夢の続き

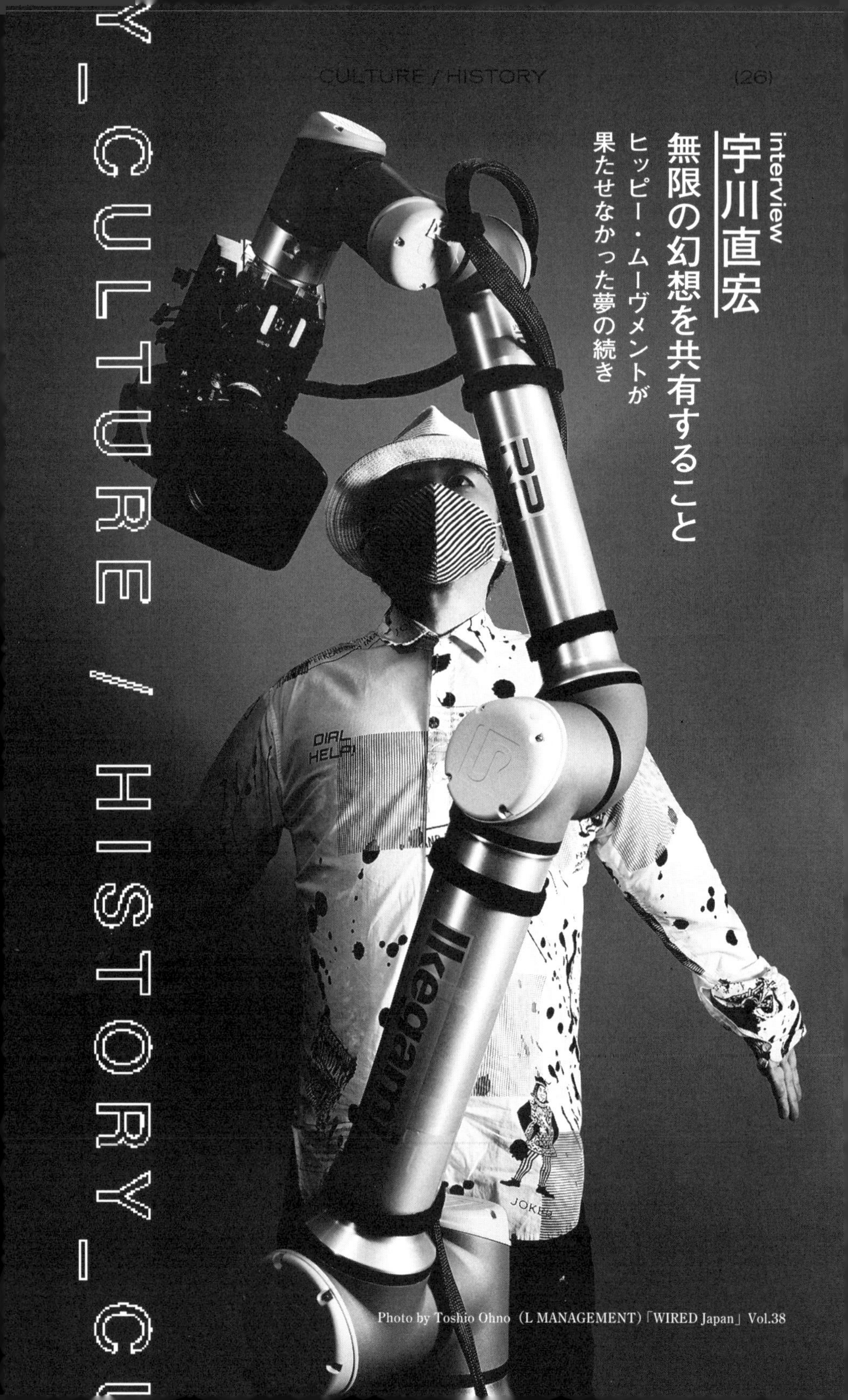

Photo by Toshio Ohno（L MANAGEMENT）「WIRED Japan」Vol.38

メタヴァースという単語の初出は1992年の小説『スノウ・クラッシュ』である。しかし概念ないしアイディアとしてのそれには他にも多くの先例がある。稀代のアーティスト、宇川直宏はそれをインターネットはおろか、パーソナル・コンピュータが登場する以前まで遡り、大きな視野で捉えようとしている。ライヴ・ストリーミングのパイオニアたるDOMMUNEを運営し、最近は「NEWVIEW DOMMUNE」や「DOMMUNE RADIOPEDIA」、「DJ IN THE MIRROR WORLD」といった企画で積極的に仮想空間やVR／ARに関連する番組を配信している彼が、メタヴァースに期待を寄せるのはなぜなのか?

宇川直宏（うかわ・なおひろ）
現〝在〟美術家。映像作家、グラフィックデザイナー、VJ、文筆家、大学教授など、80年代末より、さまざまな領域で多岐にわたる活動を行う。2010年には日本初のライブストリーミングスタジオ兼チャンネル「DOMMUNE」を個人で開局し国内外にて話題を呼ぶ。2021年、芸術選奨文部科学大臣賞受賞。

メタヴァースのオルタナティヴ・ルーツ

――メタヴァースに関心を持ったきっかけを教えてください。

宇川 まず、僕はゲーマーではないので、わりと概念的なところから入っていきました。もともと90年代に、メタヴァースという概念を事実上提案したとされるポスト・サイバーパンク作家のニール・スティーヴンスンの小説『スノウ・クラッシュ』を読んでいたんです。現在語られるメタヴァースの記号的な要素のほとんどがすでにそこで描かれていたように思います。ただし、古典を紐解くなら、1984年のウィリアム・ギブソン『ニューロマンサー』の脳とマシンが統合された電子的ネットワークとしてのサイバースペースの概念や、さらに紐解くとスタンリイ・G・ワインボウムの1934年の短編小説「ピグマリオン劇場」には、すでにヴァーチャル・リアリティとしてのゴーグルが描かれていて、100年前にVRの時空がすでに描かれていたことに驚愕いたしました。
『スノウ・クラッシュ』を読んだとき、僕は逆に夢破れた60年代末のヒッピーイズムを思い浮かべたんですよ。人間性の回復を求め、ヴェトナム戦争に対してアンチを唱えて、そこに音楽とドラッグが結びつき、ラヴ&ピースをスローガンに、自らの手で楽園をつくっていこうという思想が当時のサマー・オブ・ラヴにはありました。

彼らは今日のようにウェアラブル端末を装着する代わりに、LSDを集団で摂取することによって、世界を再び創造し、脳内のイメージや認知や思想を、セットとセッティングによって共有しようとしました。その一方で、社会から逸脱するアナキズム的な試みを実践しようともしました。一切の規範や倫理から離れた場に身を置き、自給自足で生活し、フリー・セックスで自由に子どもを生んで育てようとしました。それは、身体を拠り所とした環境に変革を及ぼす、コミュニケーションの未来を夢想する運動だったと僕は考えています。つまり仮想現実ではなく、夢想現実。フラワー・ムーヴメントの時代は、ヘッドマウント・ディスプレイではなく、LSDがコミュニケーション・デヴァイスとなった、極めてメタヴァース的な世界だったと考えています。誤解なきよう説明しておきますが、もちろん、当時は合法だったのです。精神医療現場での実験と研究が盛んに行われていた時期の話です。

そういったかつてのサイケデリック・カルチャー、ヒッピーイズム、フラワー・ムーヴメントが〈果たせなかった夢〉の、サイバースペースを通じての可能性、それが今日のメタヴァースなのではないか――そう思ったのが興味を持ったきっかけでしたね。

僕は、サイケデリックの概念自体、つねにアップデイトされ続けてきたと考えています。たとえば50年代。この時期はまだサイケデリックという概念はありませんが、ビート・ジェネレーションの人たち、ケルアックのドキュメンタルな執筆方法や、ギンズバーグの幻想的な詩や、バロウズのカットアップ、フォールドインといった既存の構造を打開しようとする実験は、いわば、プロト・サイケと呼べる運動でした。なぜなら人間の根本理念の探求と、様々な物質を投与した精神実験、もしくはジェンダーを超えた性の解放などを彼らは文学を通じて打ち出していました。それが60年代のカウンターへと接続されることで、サイケデリック・カルチャーは実を結んだのだと思いますね。

では、なぜヒッピー・カルチャーは夢破れてしまったのか？　メタヴァースが現実化してしまったからです。イデオロギーに基づくような社会変革ではなく、個人の意識変革を目ざす文化運動であったため、ヒッピーイズムは現実に蓋をして、独立した楽園的コミューンをつくろうとする思想がその運動の通奏低音として流れていたため、どんどんカルト化していきました。なので、いつのまにか導師や司祭が生まれてコミューンを統治するようになり、共同体が独裁的になってしまったからです。サイケデリックの可能性は、現実を支

配している道徳や倫理を超えたところにある、全く新しい思想を積み上げることができる時空にあったはず。にもかかわらず、エクストリーム・トリップを果たした声の大きい人間の意思に収斂されていきました。その結果、60年代末には多くのカルト教団が生まれます。カウンター・カルチャーが導いた夢想空間としての、メタヴァースが狂信的な方向に汚染されてしまった悪い例です。

そうならないためにはどうしたらいいか。いろいろな人が道を探り試行錯誤してきました。そのひとつがパーソナル・コンピュータ・カルチャーに繋がっていくんです。68年には、スチュアート・ブランドという人物によって『ホール・アース・カタログ（全地球カタログ）』が創刊されています。これは、いま世界で起こっている現象や地球それ自体を解析していくようなコンセプトの雑誌で、紙版のインターネット、もしくは、ニューエイジなウィキペディアのようなものです。まだデスクトップ・コンピュータもスマートフォンもなければSNSもない時代に、今日のインターネットのような時空が成立していたんです。それと、ヒッピーイズムにおけるコミューン的なアナキズムの発想があったからこそ、パーソナル・コンピュータが生み出され、クリエイティヴィティもコミュニケーション・スタイルも一新したのです。さらにインターネットの登場によりサイバースペースによるネットワークが生まれます。今日のSNSは、ある側面、かつての『ホール・アース・カタログ』の発想がより高度に実現されたものだと僕は思っています。

しかし、一方で、90年代以降、インターネットが一般に解放され、95年に大衆化されて、その後のスマートフォンの普及によって、今度は逆に文字通りパーソナル・コンピュータを手にした人びとが、それぞれ人間を監視し、統制するようになった。つまり、SNSによる相互監視社会の到来です。それによって、エゲつない言論統制も起こったりしています。つまり現在は、中央集権型カルトの失敗を経て、自立分散型の相互監視をしているわけです。こんな世界は全くラヴ&ピースではありませんよね。どちらかというと76年のロンドン・パンクのスローガン、ノー・フューチャーにひとっ飛びです（笑）。

別の例で語ると、一時期民法テレビは、深夜にオルタナティヴな世界を拡散するメディアでした。中央だけではなく、周縁に漂う情報や様式でさえも、人々の欲望の赴くままに供給され、深い時間に大衆化していきました。しかし、オルタナティヴがテレビで生き続けるのは難しいんです。強い視聴率信仰が蔓延っている世界だからです。なので、インターネット前夜にオルタナティヴは、コアな紙メディアによって流通され、広まりました。たとえばこの『ele-king』も、紙でテクノの情報を流通させた大変重要なメディアでしたよね。デリック・メイやジェフ・ミルズのインタヴューがかつて民法テレビで放送されたことはなかったはずです。けれどいまはユーチューブなどにより、動くジェフ・ミルズのトークを観ることは誰でも容易にできます。現在は、マスもコアもありません。メインストリームもオルタナティヴ・カルチャーも完全にインターネットによってフラットになった状態です。

いや、それどころか、マスとオルタナティヴは逆転しています。かつてマスと呼ばれたテレビは現在むしろニッチなメディアです。いま、若者はTVを見ていません。それどころか持っていません。いちばん安定して観ているのは、いわゆる「F3」層。これは50歳以上の女性の視聴者層です。なのでスポンサーを獲得するためにTVは、現在、このニッチな層に向けての

かつてのサイケデリック・カルチャー、ヒッピーイズム、フラワー・ムーヴメントが〈果たせなかった夢〉の、サイバースペースを通じての可能性、それが今日のメタヴァースなのではないか——そう思ったのが興味を持ったきっかけでしたね。

視聴率戦争を繰り広げているといっても過言ではありません。

また別の角度から語ると、かつてのマスの象徴としての『ぴあ』的な情報誌は、インターネットで情報がゼロ円になったことにより、かつてオルタナティヴを象徴していた『ホール・アース・カタログ』の側に飲み込まれたイメージです。なので現在は点在するオルタナティヴの集積がマスになっている印象ですね。かつてジャズ詩人のギル・スコット・ヘロンは「テレビは革命を映さない」（"The Revolution Will Not Be Televised"）と歌っていましたが、いまは革命もフラットにユーチューブで映し出されているし、自律分散したコアを集積したマスに投影されている状態でしょう。

このような経緯を細かく踏まえると、現在のメタヴァースは、かつて夢想した楽園の失敗を肥やしにした土壌を開拓する、SNS以降のサマー・オブ・ラヴなのではないかと考えています。

80〜90年代のメタヴァース

——では、宇川さんの文脈で80年代や90年代にも、メタヴァースの先駆となるようなものはあったのでしょうか？

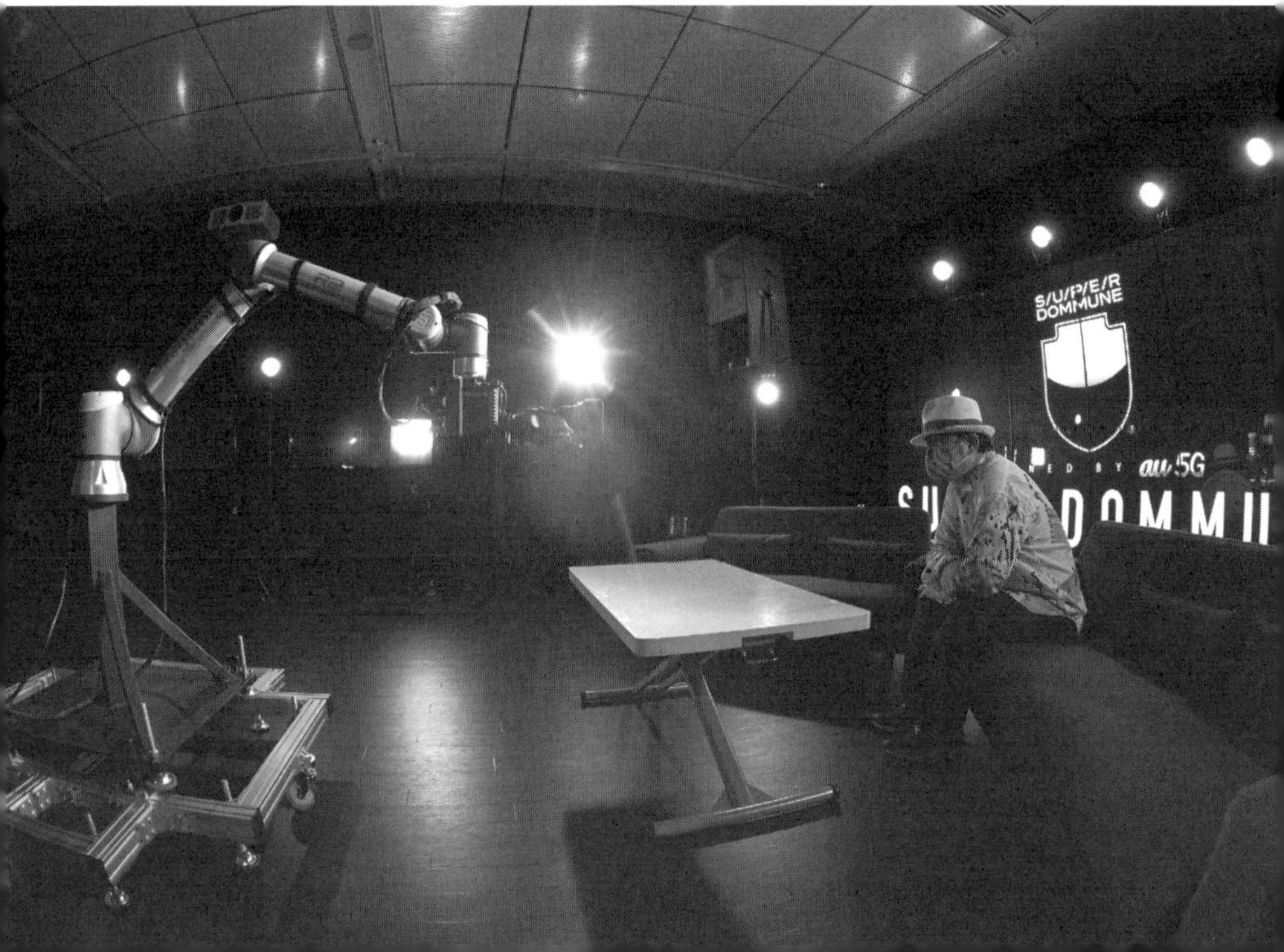

宇川 60年代のヒッピー・ムーヴメントはファースト・サマー・オブ・ラヴと呼ばれていました。80年代終わりから90年代頭には、UKでセカンド・サマー・オブ・ラヴが起こります。これは新たな楽園の構築であり、ヒッピーイズムの破綻を反省した上で、その失敗を乗り越えようとするカウンターでした。

そして最初のサマー・オブ・ラヴがLSDだったのに対し、二度目はMDMAでした。音楽とつねに連携して、現実を歪め、メタヴァースを夢想しました。これも説明しておきますが、MDMAも1984年までは合法で、医療用途が探られていました。現在またPTSDへの心理療法の臨床実験がアメリカで行われていて話題になっていますが、日本では向精神薬取締法によって規制されていますので、よい子の皆さんはくれぐれも真似しないでください。そしてTB-303の鳴らすアシッド音——あの周波数帯域が、トリップしている人びとの意識を翻弄し、UKレイヴ・カルチャーのサウンドトラックになりました。

最近よく石森章太郎原作の特撮ドラマ『人造人間キカイダー』に出てくる悪の首領、プロフェッサー・ギルが鳴らす笛の音について考えます。ダーク破壊部隊を倒すために「良心回路」を埋め込まれた人造人間が主人公のキカイダーですが、そのキカイダーの「良心回路」を揺さぶるために、ギルは笛を鳴らすのです。そのメロディを書いたのは渡辺宙明という今年93歳で現役の作曲家ですが、ローランドの303のベースラインは、エンジニアの菊本忠男氏が作り上げた回路が鳴らしている音です。勧善懲悪ではない自らの使命に揺れ動く『人造人間キカイダー』でしたが、TB-303が映し出したセカンド・サマー・オブ・ラヴは悪とみなされ、その新しいヒッピーイズムも、94年にUKで成立したクリミナル・ジャスティス・アクト（法）

Photo by Toshio Ohno（L MANAGEMENT）「WIRED Japan」Vol.38

TS「NEWVIEW DOMMUN

によって取り締まられ、やがて複数人でダンスをする行為自体が禁じられていきます。ちなみに60年代にはファズやワウ・ペダルのようなエフェクターがその役割を果たしていたと考えられます。

90年代は個人の意識変革として、巨大なレイヴが試された時代でした。不特定多数の人びととダンスをし共鳴する原始宗教の儀式的な快楽が大衆化されました。ファースト・サマー・オブ・ラヴのとき、ダンスはそれほど重要ではありませんでしたが、セカンドではそれがものすごく重要でした。それこそ、政府が本気で取り締まるくらいに。日本でも風営法などによってさまざまな理由づけが為され、踊ることが禁じられましたよね。

僕の文脈をここで整理すると、60年代末におけるメタヴァースの先駆が、ヒッピーイズム、フラワー・ムーヴメント、サマー・オブ・ラヴであり、80〜90年代は、アシッド・ハウス、レイヴ・カルチャーであり、セカンド・サマー・オブ・ラヴである、僕はそう考えていますね。

もちろん、このラインとは別軸に、田中"hally"治久さんが研究しているような、ゲームにおけるメタヴァース前史があります。つまりメタヴァースはビデオ・ゲームにおいては古典的に扱われるテーマであったし、DOMMUNEのXR実験番組au 5G Presents「NEWVIEW DOMMUNE」でも特集したとおり、PLATO〜MUD〜『ハビタット』〜MMORPGに至るメタヴァース前史に位置するネットワーク・ゲームの歴史は、サイバースペースの中で僕の文脈と並行で進化し続けていました。

どちらの文脈においても重要なのは、仮想も夢想も関係なく、現実から飛躍したコミュニケーションの未来を夢想する運動全般のことを、メタヴァースだと捉えています。

何らかのトリガーによって、現実を超越したところにある無限の幻想を共有しようとする意思が集積する時空、それを僕はユニヴァースに対してのメタヴァースと言いたいんです。

VERSE CHR

現実、つまりユニヴァースが有限かつ公共だとすると、メタヴァースの目指す世界は、無限の幻想を最大限機能させられる空間です。「50年代のビートニク、60年代のヒッピーイズム、80～90年代のレイヴ・カルチャー」、そこで求められていたのも無限の幻想でした。つまり、入り口はLSDやMDMAによるトリップだった場合もありますし、ファズやワウ・ペダルのエフェクトだった場合もあるでしょう。また、TB-303のベースラインでもいいし、Oculus Quest 2のヘッドマウント・ディスプレイでもいい。またその現場は、ヌーディスト・コミューンでも、ラヴ・パレードでも、サイバースペースのネットワークでもいい。何らかのトリガーによって、現実を超越したところにある無限の幻想を共有しようとする意思が集積する時空、それを僕はユニヴァースに対してのメタヴァースと言いたいんです。

ゲームとレイヴの邂逅

——最近はDUMMUNEでも積極的にメタヴァースの番組を企画されていますよね。

宇川 はい。小林くんが、この本の企画の原点になったと言ってくれたXR実験番組au 5G Presents「NEWVIEW DOMMUNE」のことですね。これも全13回のシリーズを考えていて、最終的にはXRの教科書として書籍

化を考えています。今回は、メタヴァースに絞って語っていますが、まず、ここまでの話で大事なのは、全てライヴ・コミュニケーションについての文脈だという点です。つまり、映画や現代アートについては語っていません。ここまで語ってきた夢想／仮想世界は、すべて生身の身体、もしくはそれを媒介としたアヴァターとして実践されてきたメタヴァース世界についてです。

たとえば、先日、Amazon MusicとDOMMUNEのコラボ企画「DOMMUNE RADIOPEDIA」の一環として、宮台真司さんとダースレイダーさんに出演していただき、『竜とそばかすの姫』『フリー・ガイ』『レディ・プレイヤー1』『コングレス未来学会議』といった、仮想空間を扱った映画について語ってもらいました。そこで出てくるメタヴァースは、全て映画の中に構築された仮想世界です。SF映画で描かれる仮想空間は、『マトリックス』以降、我々の暮らす現実すらも仮想であるかもしれないといった哲学的なコンセプトを軸に、高解像度でフィクショナルな物語の舞台として機能してきました。それ以降、映画的テーマとして、人間の身体性について深く語られるようになりました。

宮台さんは『竜とそばかすの姫』について、身体性を欠いた作家が身体性のない視聴者に向けてつくった作品だと指摘していましたが、その流れで黒木和雄監督による75年の映画『祭りの準備』の例を出されました。僕

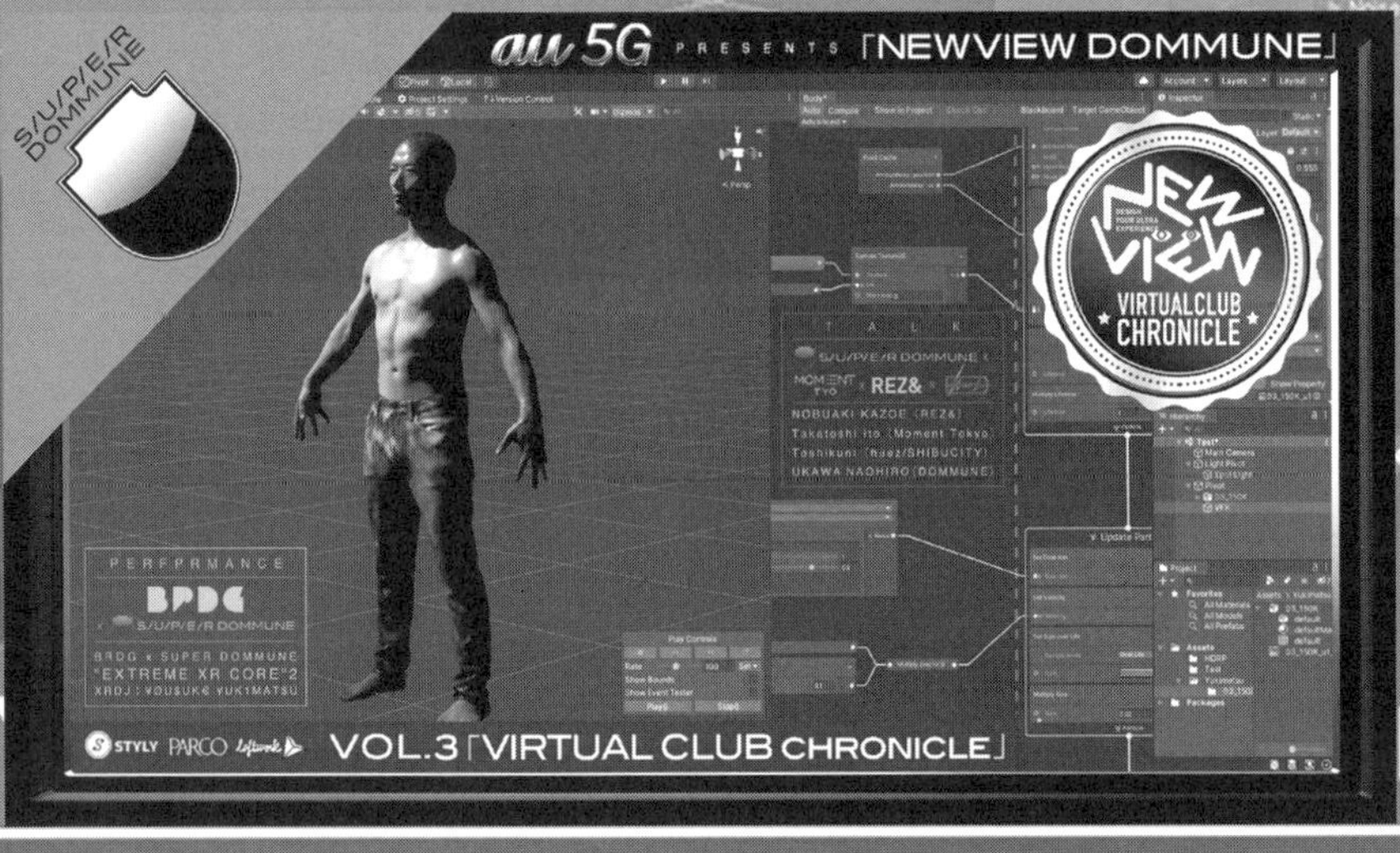

自身も80年代にヴィデオで観て衝撃を受けた作品です。『祭りの準備』は、文字どおり翌日の祭りの準備をしているときの浮き足立った昂揚感を描いています。

　祭りとは、僕たちを日常から逸脱した時空へと導いてくれる装置です。それは高熱にうなされた状態ではなく、微熱を誘発する装置だと宮台さんは論じて下さいました。微熱によって昂揚した者たちが集まるからこそ、現場ではダンスやフリー・セックスが発生します。身体性がエクストリームに向けて発動し共振する空間が生じるのです。それと比較すると、『竜とそばかすの姫』で描かれる仮想世界は無菌空間で、微熱が排除されています。昂揚を体験したことのない作家が描くサイバースペースの祭りやコミュニケーションは、身体的な昂揚を知っている者にとっては魅了されない、という議論をあの日しました。

　誤解を恐れずに言うとこれはプログラムされたゲームと、インプロヴィゼイションなレイヴの違いでもあります。そして、両者が融合したときに初めて花開くのがサード・サマー・オブ・ラヴなのではないか、と僕は考えています。現在のメタヴァースはその可能性を秘めているんです。

　たとえば、コロナ禍で生まれた新たな音楽体験として、『フォートナイト』でトラヴィス・スコットが「Astronomical」というパフォーマンスをおこないましたよね。あれは2020年において最も注目されたライヴ・パフォーマンスだと断言できます。

　このパフォーマンスは本当に重要で、『フォートナイト』というメタヴァースの中でおこなわれた新手のレイヴのようなものだと考えています。ネヴァダの砂漠での「バーニングマン」や、EDMのフェス「トゥモローランド」も、また中止になった「グラストンベリー」も、オ

プログラムされたゲームと、インプロヴィゼイションなレイヴの違いでもあります。そして、両者が融合したときに初めて花開くのがサード・サマー・オブ・ラヴなのではないか、と僕は考えています。現在のメタヴァースはその可能性を秘めているんです。

ンラインでの開催が模索されていましたが、『フォートナイト』での体験は、群を抜いてサード・サマー・オブ・ラヴを感じました。人びとがエントランスに集まり、カウントダウンを眺めている間に、想定外の巨大なトラヴィス・スコットが降臨しました。そのトラヴィス・スコットを追うように、アヴァターとしてのオーディエンスたちが空間を自由に飛び回ったり海中に潜ったりしていました。

それは、フラットなスクリーンに張り付いたムーヴィーを共有する行為ではなく、360度のヴァーチャル空間に没入した状態での体験です。トラヴィス・スコットのライヴそれ自体は上映時間の決まったパッケージですが、それを都度違う体験として没入できる構造になっていたんです。

体験というものは、自分の主観的な座標軸によって変わります。アヴァターを移動させて立ち位置を変えれば周囲にいるプレイヤーとの関係性も変わりますから、ネットワーク内でのクオリアが目まぐるしく推移します。感覚質が無限に変化しますので毎回、唯一無二のライヴ体験が可能でした。

僕はそのライヴ体験を経て、PLATO～MUD～『ハビタット』～MMORPGと仮想現実を変遷したゲーム史における現行メタヴァースと、ビート・ジェネレーションからレイヴ・カルチャーへと至る身体性を伴った夢想現実としてのサマー・オブ・ラヴ・メタヴァースとが、ようやく60年のときを経て、接続されたように感じました。アヴァターを介してアクセスしてきたメタヴァースと、生身で実践されてきたメタヴァース、つまり仮想と夢想の融合だと確信しました。これによって、アートもエンターテインメントも、様相が完全に変わったような気さ

Astronomical な体験に飛び込もう
https://www.youtube.com/watch?v=IH50r8zbbNY

えしましたね。
この融合の起点は１９９５年にあります。95年はWindows95が発売された年であり、インターネット元年と呼ばれますよね。このワールドワイドウェブの機能により、両者の融合の可能性が見えてきました。その後にＳＮＳが登場します。２０１０年はソーシャル・メディアの夜明けでした。そしてCOVID-19のパンデミックが起こった２０２０年が、メタヴァースの夜明けになったと、僕は歴史に刻みたいです。なので、いま、ゲーマーではない僕がゲームの歴史を体感しつつ、コミュニケーションの未来史として、そこにビートニクやヒッピーイズムや『ホール・アース・カタログ』の歴史を接続しようとしています。去年、やっと繋がったんです。そして、宮台さんは、身体性を論じながらも、ゲーム的リテラシーを身につけたほうがいいと娘には伝えているようです。

微熱感を維持するために

――DOMMUNEのこれからについてお聞かせください。

宇川　僕たちが現在、DOMMUNEでおこなっていることは、ライヴ・ストリーミングです。メタではなくスタジオという物理空間上のユニヴァースを舞台に、身体性を伴ったレイヴをおこなっている時空です。そのドキュメントをインターネット上にリアルタイムで公開し、全世界とのライヴ・コミュニケーションを果たしています。僕は日々、このスタジオで産み出される番組の、撮影行為、配信行為、記録行為を、自らの現在美術作品と位置づけています。またDOMMUNEというネーミング自体も、ファースト・サマー・オブ・ラヴのコミューンに由来していますす。コミューンが実践してきた集合体としてオルタナティヴなあり方を探求したかったから、「C」の次の「D」なんです。つまりDOMMUNE自体がファースト・サマー・オブ・ラヴを継承した、生身の身体によって実践されるユニヴァースなんです。レイヴ・カルチャー以前にもサイバースペースはありましたが、サイバースペースのなかでレイヴは起こっていません。サイバースペースでレイヴをはじめたのが、僕たちDOMMUNEであり、あるいはイギリスのBoiler Roomなんですね。

なのでDOMMUNEは、現実の物理空間も重要視してきました。たとえばDOMMUNEのサウンドシステムは、世界中のＤＪが唸るほど音が良いです。メタヴァースではなく、ユニヴァースにおける音の鳴りをずっと探求しているのです。

それに僕たちは開局以来10年間、寺山修司の『書を捨て、町へ出よう』を、「ラップトップを捨て、町へ出よう」に読みかえ、週末はクラブへと誘導し、サイバースペースでのコミュニケーションを休止していました。物理空間を次元上昇させ続けているクラブ・カルチャーをリスペクトしているから、サイバースペースを断ち切るための時間を週末に確保していたんです。現在もできるだけそうするようにしています。

たとえばメタでもサイバーでもなく、リアルだからこそ可視化される時空も重要視しています。現在はコロナ禍なので、葬儀や告別式をオンラインでおこなう風潮があります。先週、個人的に大変恩義のある堀地浩さんという先輩が交通事故で亡くなり、地元の高松まで帰りました。僕にオーガナイズのノウハウを授けて下さった方です。インターネットはおろか、瀬戸大橋も開通していなかった時代、情報流刑地だったといっても過言ではない１９８０年代の香川県に、パンク／ハードコア・シーンをつくった人で、当時まだ14歳だった僕をシーンに誘って下さり、ギグの企画を手伝わせて下さった先輩です。弔辞をギターウルフのセイジさんが読んだり、灰野敬二さんからメッセージが届いたりして、先日、堀地さんの61歳の生涯が濃厚に幕を閉じました。とにかく面倒見のいい方で、さまざまな文化圏の方々から慕われていました。古着屋さんを運営しているので、いまでも高校生の面倒を見ていたりしていて、僕は38年間かわいがってもらいましたが、つまりその38年のあいだに、全く異なる様々な世代の男女と付き合ってきたということです。

普通、こういった個人史を軸とした、コミュニケーション・ネットワークは日常では可視化されません。SNSのフォロワーを掘り下げると一部見えてくる部分はもちろんあるでしょう。ただ、60代が10代と友人になることは滅多にないし、ましてや、38年もの間、毎回新しい世代の10代と出会うことは中学／高校教師以外考えられません。でも堀地さんは、現行の14歳とも付き合いがあり、現行の25歳とも付き合いがありました。それが告別式によって可視化されたのです。この現象は、ある種の密教的な系図が浮かび上がったといっても過言ではないし、僕も含めて多様な世代の人たちが堀地流という流派に属していたことが、物理空間に300人の身体が集結したことによって可視化されました。これは、アヴァターやアイコンで参加するオンライン上の告別式では全く体感できない時空でした。

――それは非常に興味深い体験です。

宇川 また、コロナ禍以降はフィジカルな情報や体験が大変貴重になった時代でもあります。かつてインターネットは現実から逃避するためのものでした。けれど現在は、インターネット

ヌーディスト・コミューンであった場合、彼らは普段は全裸ですから、街へ繰り出すために服を着ます。その服を着る行為自体が、世間に身をさらすための分身を形成する行為に当たるので、アヴァターに該当するのではないかと思っています。

から逃避するために現実がありますｃインターネットと現実と、どちらが素晴らしいかという話はしたくありませんが、どちらの世界により長く滞在しているかと問われれば、現在ではインターネットであるという人が多くなりました。だから、実はいまはとてもサイケデリックな時代だと言えます。ヴァーチャルとフィジカルはすでに反転しているのです。

60年代のヒッピーは人里離れた環境でコミューンを形成して自給自足をしていましたが、たとえば油絵が描きたくなったとすれば、絵の具を買うために街へと下りていきました。ヌーディスト・コミューンであった場合、彼らは普段は全裸ですから、街へ繰り出すために服を着ます。その服を着る行為自体が、世間に身をさらすための分身を形成する行為に当たるので、アヴァターに該当するのではないかと思っています。メタヴァースに暮らすヒッピーが、フィジカル・シティとしてのユニヴァースへ向かうために、アヴァターと化しているんです。彼、彼女らは用を終えてコミューンに戻るとまた全裸に戻ります（笑）。これは、今日のデジタル・ネットワーク上におけるメタヴァースとユニヴァースとを往来する行為に近いと僕は思っています。

VTuber界隈で、ヴァーチャル美少女受肉が流行していますが、その世界では、中の人、つまり演者のことを「魂」、キャラクターのことを「肉体」、そのキャラクターと化すことを「受肉」と呼んでいます。つまり受肉すれば、魂さえ同一ならば、肉体はどう存在しようが自由なワケです。中の人が58歳のオヤジでもヴォイス・チ

エンジャーで声帯も変容できるし、全く関係ない。どちらが真実の自分で、どちらが化身なのか、もう皆んなわからなくなってきているんです（笑）。自己同一性すら見失っていますが、養老孟司さんいうところの、「自分探し」なんてムダなこと。「本当の自分」を探すよりも、「本物の自信」を育てたほうがいい。ならば、メタヴァースでの生き方は、「自分育て」にとって大変重要な実践となると思います。

だからこそ逆にいまはフィジカルな情報、オンラインでは成し得ない体験が重宝される時代が来ています。メタヴァースとユニヴァースが同時並行で、それぞれ独立したスペシャルな価値を持ったまま、世界を構築していける時代がようやく来たのだと思っています。だから、パンデミックを抜けた先にあるポスト・パンデミックの時代においてこそ、新しい可能性を秘めたハイブリッドなコミュニケーションが訪れると信じていますね。

DOMMUNEとは一言で言えば、ヒッピー・カルチャーの失敗を学び、新たなサマー・オブ・ラヴを形成していく時空です。僕はずっとこのようなヴィジョンを描いて活動してきました。そこにおいて重要なのが先述の『祭りの準備』の微熱感です。つねに連帯を持って意識が昂揚している状態です。日刊のメディアは微熱が出ていないとダメですよ。高熱ではスタジオに出られません（笑）。でも平熱では昂揚がない。微熱がないとダメなんです。その微熱感を維持できる永久的なシステムをつくることが、DOMMUNEのテーマだと実感しています。

（取材＝小林拓音）

COLUMN

『スノウ・クラッシュ』使用前後

ニール・スティーヴンスンのＳＦ的想像力

巽孝之

巽孝之（たつみ・たかゆき）
１９５５年東京生まれ。慶應義塾大学名誉教授。アメリカ文学思想史専攻。ＳＦ批評家。代表的著書に『サイバーパンク・アメリカ』（勁草書房、１９８８年度日米友好基金アメリカ研究図書賞。２０２１年10月、増補新版として復刊）、*Full Metal Apache* (Durham: Duke UP, 2006) ほか多数。編訳書にダナ・ハラウェイ他『サイボーグ・フェミニズム』（トレヴィル、１９９１年／北星堂書店、２００７年、第2回日本翻訳大賞思想部門賞）など。

一九八四年、サウスキャロライナ州生まれの北米作家ウィリアム・ギブスン（一九四八年〜）が、のちに「サイバーパンクの聖典」とも呼ばれる第一長編『ニューロマンサー』を出版した。その魅力は、今日ではインターネットや仮想現実の名で親しまれる電脳空間《サイバースペース》を活写したことにあったが、全く同時に忘れてはならないのは、サイバーパンクの「パンク」の部分を担うコンピュータ・ハッカーというのが、同書第一部「千葉市憂愁《チバシティ・ブルース》」が描くストリート文化の産物だったことである。新自由主義の勃興以後、格差社会の犠牲者であるストリートの住民たちは、かくなる苦境にあってもありあわせの安価な素材をもとに、国家をもゆるがすハイテク兵器を編み出す。ギブスンはそうしたストリート部族を「ローテク」(LoTek)と呼んだが、その精神にこそサイバーパンクの根幹が潜む。

　ギブスンより一回り近く若いニール・スティーヴンスンは同じく南部のメリーランド州生まれ(一九五九年〜)だが、デビュー長編『Big U』出版は『ニューロマンサー』と同じ八四年。とはいえ、彼は以後、サイバーパンクをしっかり咀嚼吸収しながらも、一九九二年には電脳空間の一歩先へ行く仮想現実「メタヴァース」を舞台の一つとする第三長編小説『スノウ・クラッシュ』を発表し、ポスト・サイバーパンクの旗手として脚光を浴びる。

　時は二十一世紀、ところはロサンゼルス。主人公でマフィアが経営する高速ピザ配達人かつメタヴァース内では手練れの剣士として活躍するヒロ・プロタゴニストは、もともと在日韓国人の母とテキサス育ちのアフリカ系アメリカ人の父との間に生まれた混血だが、戦後、父が原爆投下後の日本から刀剣を略奪したり、その好敵手でスノウ・クラッシュの媒介者レイヴンの父が戦時中に日本軍によって捕虜収容所へぶち込まれた北米原住民アレウト族の血を引いていたりと、物語の水面下には一筋縄ではいかない民族問題が流れる。しかも、ヒロの同居人の名前がヴァイタリ・チェルノブイリで彼の率いるバンド名がメルトダウンズときては、政治的正義を手玉に取る過激なブラックユーモアというほかない。

　かくしてスティーヴンスンはギブスンが現実世界に位置させてきた「ストリート」を仮想現実メタヴァース内部へ移行させる。そしてタイトルになっている新種のドラッグ「スノウ・クラッシュ」はメタヴァース・プロトコルの創始者自身のコンピュータにシステム・クラッシュを引き起こし、本人にも脳損傷をもたらす。さらに本書は、そもそもユダヤ＝キリスト教に代表される宗教そのものがウイルスとして世界に蔓延したのだという壮大な地球史的思弁を展開し、バベル神話自体を巧みに更新してみせる。

　メタヴァース。それは、ゴーグルによって没入《ジャックイン》する電脳空間であり、ゴーグルに描かれた画像とイヤフォンに送り込まれた音声によって出現する仮想現実である。世界中に広がる光ファイバー・ネットを通じて一般人がアクセス可能なソフトウェアの集合体。〈ストリート〉全体は、半径一万キロ余りの黒い球体の赤道部分をめぐる巨大な遊歩道の体裁を採っており、全長六万五千五百三十六キロに及ぶから、地球の円周より遥かに大きい。ボルヘスで言えば極大宇宙を孕む極小地点アレフのごとき逆説的な世界が、仮想現実だからこそ成立しているのである。従って、ふだんの現実世界では六×九メートルの狭いアパート住まいのヒロも、メタヴァースでは豪邸の主だ。

もちろん、メタヴァース内部の開発は今も続く。建物や公園を作ることもできれば、三次元の物理法則の及ばない特殊空間や、人間同士が絶えず殺し合うフリー・コンバット・ゾーンなど、自由自在。現実世界で六十億から百億の人間が暮らしているとしたら、そのうちコンピュータを自分自身で所有し使用できる境遇にあるのが六千万、所有していなくても何らかの制度の恩恵により使用可能な人数が六千万、しめて一億二千万人が常時、このメタヴァースにたむろしている計算だ。もっとも、これは一九九〇年代初頭の本書執筆時におけるデータであり、当時はスマートフォンもなくコロナ禍でリモート勤務・リモート学習を迫られる時代も予測できていないから、二十一世紀の現時点でメタヴァースを再構築するとなれば、その住人は少なく見積もってもSNS使用率トップのフェイスブックが記録する二八・五三億人以上、すなわち全地球人約八十億の三分の一以上になるだろう。

ここで注目しなくてはならないのは、メタヴァースではその住民がそれぞれのアヴァターを用いて仮想空間生活を楽しんでいることだ。今日、アヴァターと聞けば真っ先に、ジェイムズ・キャメロン監督のアカデミー賞受賞映画『アバター』（二〇〇九年）を思い起こすだろう。外宇宙探索のために人造生命体を作り地球人の意識と結合するというアイデアそのものは、半世紀以上も前に米国作家ポール・アンダースンが木星を舞台にした「わが名はジョー」（一九五七年）で展開しており、長いSF的伝統に根ざしている。さらに六十年代以後にいわゆるメディア社会が成立した後には、ジェイムズ・ティプトリー・ジュニアによるサイバーパンクSFの原型とも言われる元祖ヴァーチャル・アイドルSF「接続された女」（七三年）が特異点を成し、それをパラダイムとして八〇年代から九〇年代にかけてはジョン・ヴァーリイの「ブルー・シャンペン」（八一年）やウィリアム・ギブスンの「冬のマーケット」（八六年）、『あいどる』（一九九六年）などの作品群が書き継がれていく。スティーヴンスンの『スノウ・クラッシュ』におけるメタヴァースのアヴァターは現実世界とあまり変化がない姿をすることが多いが、それから四年後に書かれたギブスンの『あいどる』では、電脳空間で最も生き生きと活躍するヒロインのひとりが、実はメキシコの環境汚染で身体障害を負った寝たきり女性のアヴァターであったことが劇的に判明する。

　ちなみに、コロナ禍の現在に鑑みて、スティーヴンスン的メタヴァースが改めて興味深く思われたのは、ハイパー・マンハッタンの輪郭を持つ全長一キロ半ほどもある多目的公園で、アヴァターたちがコンサートやコンヴェンションやフェスティヴァルを開くことができるようになっているという設定だった。その主要部分は、百万人近いアヴァターを一挙収容できる円形劇場。つまり、昨今の緊急事態宣言下ではクラスタも発生するため開催困難になってきている野外ロック・フェスティヴァルの類も、メタヴァースであれば三密の心配もなく気楽に楽しめるというわけだ。

　スティーヴンスンのSFは、のちに続くヒューゴー賞受賞作のナノテク歴史改変小説『ダイヤモンド・エイジ』（一九九五年）やサイバーパンク以後の『宝島』とも呼ぶべき『クリプトノミコン』（一九九九年）などでさらに磨きがかかり、すべてが魔法のごとく錬金術のごとく自由自在に組成可能な未来像を描くため、かつてテッド・チャンのSFとともに「アルケミーパンク」の名で呼ばれたこともあった。それから二十年余。二十一世紀の我々は、ハイテクノロジーが十二分に発達してしまったため魔法と区別のつかないスティーヴンスン的現在を生きているのかもしれない。

ニール・スティーヴンスン『スノウ・クラッシュ』上下、日暮雅通訳、ハヤカワ文庫SF、2001年。復刊が望まれている。

interview

國光宏尚&新清士

来るべき「オアシス」への道筋

SNSとゲーム、VR、ブロックチェーンの交差がメタヴァースを実現する

國光宏尚（くにみつ・ひろなお）
代表取締役CEO／Founder。1974年生まれ。米国Santa Monica College卒業後、2004年5月株式会社アットムービーに入社。同年に取締役に就任し、映画・テレビドラマのプロデュース及び新規事業の立ち上げを担当する。2007年6月、株式会社gumiを設立し、代表取締役社長に就任。2021年7月に同社を退任。2021年8月より株式会社Thirdverse代表取締役CEOに就任。

新清士（しん・きよし）
取締役CSO。慶応義塾大学商学部及び環境情報学部卒。Thirdverseの前身となる株式会社よむネコを設立。デジタルハリウッド大学大学院准教授。Tokyo XR Startups取締役。著書に『VRビジネスの衝撃——「仮想世界」が巨大マネーを生む』（NHK出版）。

IDEO GAME_BUS

株式会社ThirdverseのＣＥＯである國光宏尚氏とＣＳＯの新清士氏は、現在多様な解釈が混在している〝メタヴァース〟という概念を、実際のビジネスや開発の観点から明確なヴィジョンを持って捉えている。今回は主にＶＲとゲームという視点から、おふたりにメタヴァースについての状況や、今後の展望について語ってもらった。

——Thirdverseは前身となる企業があるなど、特殊な経緯を辿っています。あらためて設立された経緯について教えてください。

新　私と國光の出会いは、２０１５年９月に、私が取材したOculus主催のアメリカでのカンファレンスについての報告会での場所でした。

その後、ＶＲに将来の可能性を感じた國光と一緒にTokyo VR Startups株式会社（現在はTokyo XR Startups株式会社）というＶＲに特化したインキュベーション事業と株式会社よむネコ（後のThirdverse）を立ち上げました。

当時からＶＲでインパクトがあると感じていたのは「他の人と同じ空間をＶＲで共有してプレイすること」が強烈な没入感を生み出すことです。そういったものをＶＲで実現していこうというのがよむネコ時代からの目標でした。

よむネコでは最初に２人でプレイ可能な『エニグマスフィア』という脱出ゲームを作り、その後、「本格的にＶＲゲームを開発しよう」と國光と決め、正式にgumiの子会社となり、約３年の開発を経て剣戟ＶＲゲームの『ソード・オブ・ガルガンチュア』を２０１９年６月に発売しました。

――そうした経緯で進んだんですね。

新 その後2020年春に、gumiから國光が全株式を買い戻し、資本が独立したタイミングで社名をThirdverseとしました。

――会社名の由来などありますか。

新 自宅や学校、職場でもない、自分の心が安心できる第三の場所としてのサードプレイスに、メタヴァースという言葉を組み合わせた造語です。ワールドワイドに誰でも覚えてもらえて、かつ非常にインパクトのある名前にしました。

――現在、メタヴァースが話題となっています。Thirdverseではどのようにこの言葉を捉えていますか。

國光 人によっていろんな定義が出てきているのが現状ですけども、結局このメタヴァースという流れは、いくつかのトレンドが交わりあったなかで大きなムーヴメントとして起こってきているなと思います。

――そのトレンドとはなんでしょうか。

國光 一つ目はSNSの進化です。二つ目はゲームの進化。そして三つ目はXR（VRやARといった技術の総称）の進化、そして最後にブロックチェーンの進化ですね。この四つの出来事がいまひとつに交わろうとしていて、メタヴァースが大きなムーヴメントになっているのかなと。

『ソード・オブ・ガルガンチュア』より、マルチプレイの様子。

SNSとゲームの進化

―メタヴァースは単体で評価するというより、周囲の環境が進化した結果生まれたものなんですね。

國光 まず一つ目のSNSの進化について話しますと、結局インターネット・ビジネスの中でもInstagramやTikTokなどを見てもわかるように、SNSは凄まじく大きなビジネス・カテゴリーのひとつなんです。

特にコンシューマーがいちばん身近に使うものはコミュニケーションです。そしてコミュニケーションはテクノロジーの進化に伴って、絶えず新しいものが生まれてきたんですね。

その中で特に大きなポイントとなるのは通信速度の進化です。昔の3G時代はテキストベースだったので、FacebookやTwitterなどテキストベースのSNSでした。これが4G時代になると、写真や動画中心のSNSが出てきます。なのでInstagramやTikTokが出てくるわけで

す。

いよいよ5G時代を迎える中で「新しいSNSはどうなるんだろう?」というのが、ひとつ議論されはじめているんですね。

——なるほど、コミュニケーションの次世代が模索されていると。

國光 二つ目の軸はゲームの進化です。もともとゲームって、昔のイメージだとファミコンやプレステみたいに家でひとりで遊ぶというのがイメージにあると思うんですね。ただ、いま流行っているゲームというのは、ネットワーク経由でみんなで遊ぶものです。ゲーム自体がひとりで遊ぶものから、みんなで集まる場所というものに大きく変わってきています。

その中で象徴的なのが『フォートナイト』です。もともとのゲーム性は100人でバトルロワイヤルし、1人が生き残ったら勝ちというルールなんですけど、最近の若い人の遊び方は違うんですね。

パーティーロイヤルというフレンドと映画や音楽を楽しんだりする空間にいて、ほとんど殺し合っていなかったりするんです。最近だったらコロナ禍でのヴァーチャル・ライヴでマシュメロやトラヴィス・スコットがライヴをやったり、日本でも米津玄師がライヴをやったりと、『フォートナイト』上で音楽を楽しむという、過去の世界中のどのフェスよりもすごいことになっていたりします。

——シューターのゲームなんですけど、本当に殺し合いはどこへ行った? みたいになってますからね(笑)

國光 むしろゲーム内で友達と遊ぶみたいに、ゲーム自体のSNS化というムーヴメントが起こってきています。

三つ目として、Oculus Quest 2の発売をもってVRが普及期を迎えました。昨年11月に発売したVRヘッドセットのOculus Quest 2が約3万円と安価かつスタンドアローン（VRゴーグル本体のみでVR体験できるもののこと）でできるものがリリースされたのが大きく、リリースから8カ月ほどで500万台くらい販売しています。年内には1000万台行くと見られています。

来年にはソニーから次世代のプレイステーションVRや、AppleでもARやVRの端末を来年に出すという話が出ていたり、中国ではTikTokを運営しているByteDanceがVRヘッドセット会社のPicoを買収するなど、いよいよハードが揃いはじめています。

ソフトのほうでも、100万本売れるゲームが複数本出はじめています。このようにVR市場が立ち上がっているのが大きなところです。

――國光さんはメタヴァースがそれらの状況が重なるものだと考えているんですね。

國光 メタヴァース自体の定義は切り取る部分で変わりますね。たとえばSNSという意味での切り取りだと、「オンライン上で人が集まるコミュニティ」というのがベースになります。これは疑問の持ちようのない、最低限の定義だと思うんですね。

そうすると「じゃあSNSとメタヴァースの違いは何だ?」という問題があります。違いには当然ひとつはゲーム性が入ることや、VRやブロックチェーンが関わってくることです。

いままでのSNSは2000年代の半ばくらいからはじまっているんですが、SNS界隈ではよく「リアル対ヴァーチャル」という対立が取り沙汰されてきたんですね。要するに、リア

一つ目はSNSの進化です。二つ目はゲームの進化。そして三つ目はXRの進化、そして最後にブロックチェーンの進化ですね。この四つの出来事がいまひとつに交わろうとしていて、メタヴァースが大きなムーヴメントになっているのかなと。（國光）

ルな友達とつるみたがるのと、興味や関心から繋がるヴァーチャルな関係のふたつがずっと語られてきたんですね。

結論で言うと、リアルのSNSだけが流行ってきたんですね。リアルな友達と繋がるのが絶えず勝ち続けていて、ヴァーチャルで人と繋がるというのがいままでなかったんです。

――どうしてヴァーチャルだと難しいのでしょうか。

國光 その理由はシンプルで、「会ったことのない人との会話は続かないから」です。結局知らない人と会って話すことはまあ、ない。いちばん最初はネット好きのアーリーアダプター（流行に敏感で自ら情報収集を行う層）がいるから会話ができるけど、「知らない人と何を話すんだ？」ってまったくキャズムを越えない。

ヴァーチャルだと会話が続かないから、いままでヴァーチャルSNSは全部失敗してきたんですね。ただ、そのなかで唯一成功したのがオ

ンライン・ゲームです。

――なるほど、そこでゲームなんですね。

國光　オンライン・ゲームはゲームを遊ぶ中～長期に渡って他のプレイヤーと友達関係を作っていけるんです。

その理由も明確で、一緒に魔王を倒すとか、アイテムを見つけにいくなど共通の話題をゲームが提供できるからです。共通の話題や目的があるから人間関係ってできていくのだと思います。

ただ過去に流行したオンライン・ゲームはハイエンドなPCや速いネット環境が必要な場合が多く、一部の人しか遊べなかった。

でもいまの『フォートナイト』のようにオンライン・ゲームの人口が一気に変わったのって、テレビだけではなくスマホやNintendo Switchなどマルチ・デヴァイスでできるようになったからです。なのでニッチだったゲームのSNS要素が、大きくできはじめたという。

――たしかに、國光さんがおっしゃる複数の流れが繋がる話ですね。

國光　ゲーム自体がSNSになったことにより、ヴァーチャル上に新たなSNSが生まれたことが言えます。この点からSNSはリアルからヴァーチャルへ進化しているというのが二つ目。

『ソード・オブ・ガルガンチュア』より、新敵ガロッサス。

結局知らない人と会って話すことはまあ、ない。ヴァーチャルだと会話が続かないから、いままでヴァーチャルSNSは全部失敗してきたんですね。ただ、そのなかで唯一成功したのがオンライン・ゲームです。(國光)

VRの進化とブロックチェーン

國光 三つ目にVRの進化。重要なのは、相手がそこにいるという実在感です。いまコロナ禍でオンライン会議が一般化してきたことで、オンラインでできることとできないことがわかるようになったと思います。インタヴューやちょっとした仕事はオンラインでいいけど、Zoom飲み会みたいのはもうあまりやらないじゃないですか。やっぱり楽しくないから(笑)。

その違いってシンプルで、相手の実在感なんですよ。それを生み出すには、ひとつには解像度が要素として重要です。解像度が高くなればなるほど相手がそこにいる感じがする。VRで4K画質を越えると、肉眼ではリアルとの区別が付かなくなると思うんですね。

もうひとつはレスポンスです。ネットって基本的にレスポンスはWi-Fiがあっても遅いんですね。だから人の動きとか通信に誤差があるためリアルタイムで知ることができない。

人の会話の情報量っていうのは、喋ってる内容が1割で、9割は相手の表情やしぐさでコミュニケーションしてるんですね。やっぱりリアルが楽しいのは、ノンヴァーバルなところを含めてコミュニケーションしているからで、人の仕草や表情で「この人好きかも」とか判断してると思うんです。

いまのSNSは2Dで、ノンヴァーバルなところはまったくなかったけど、VRを活用していくとその部分もできるようになります。ヴァーチャルだけで完結しているけど、リアルと変わらない人間関係が築けるようになる。これがVRの大きなポイントです。

——最後にブロックチェーンはどのように絡むのでしょうか。

國光 NFTが最近いろいろなところで語られるようになっていますが、ブロックチェーンの技術で重要なのは、デジタルデータがコピーできないことです。

いってみれば、デジタルデータの供給量を制御できるテクノロジーなんですね。いままではデータは複製が自由で、供給量が無限大だったんですね。それに対し、ブロックチェーン技術であるNFTならデジタルのスニーカーは10足だけとかできるんです。

加えて、いままでオンラインのゲーム会社でも「この武器は100本だけ」とか言ってるけど、それが本当に100本限定かどうかユーザーはわかりようがなかったんです。

一方、ブロックチェーンの場合は100本しかないデータがパブリックなブロックチェーン上に刻まれて改ざんできない。これを世界中の誰もが参照できる。だからデジタルデータが価値を持つのが大きなことです。

物の価値は、需要と供給で決まるじゃないですか。ネットが出てきてコピーのコストが0になったので、言ってみればコピーだらけになった。供給量が無限になったので、デジタルデータそのものに価値はなくなったんです。

―― なるほど、事実上、価値がなかったデジタル空間に明確な価値を与えることで、存在意義が変わっていくということですね。

國光 我々コンテンツビジネスは、コンテンツそのものを昔は売っていました。音楽だったらCD、ゲームだったら

國光宏尚

パッケージ。でもネット時代になるとコピーのコストが0になっちゃったから、コンテンツそのものが売れなくなったんですね。

結果、ほとんどのエンターテインメント会社はコンテンツからサーヴィス業になったんです。Netflixや Spotifyのように、コンテンツそのものを置いているわけじゃなくて、自分の好きなコンテンツにいつでも触れられるというサブスクリプションがそうですよね。

ここでブロックチェーンが出てきて、供給量を制限できるようになったことで、デジタルデータが金銭的な価値を持つようになったのが大きいです。

いままでのインターネットは情報をやり取りしてきましたが、これからは価値をやりとりするように変わっていきました。これの何が大きいかと言うと、これまではお金に変えるときにはリアルに繋がなきゃいけなかったんですね。

ネットができて20数年で本当に大きなビジネスモデルはふたつしか出ていなくて、広告とコマース（ネットでものを売買することの総称）しかないんですね。最後にお金に変えるにはリアルとの接点が必要でした。

ここにブロックチェーンが入ってくることで、ヴァーチャル空間上で価値のやり取りができるようになり、経済圏を作れるようになったのが大きなところです。

――新さんはジャーナリストとして、ゲーム業界からVR業界までの状況を観ていますが、いまの状況はいかがでしょうか。

新　VRがいままでと劇的に違っているのは、スタンドアローンでありながらも、VRヘッドセットの値段が安くなったことです。ワールドワイドに普及することで、大ヒットVRゲームがさらに生まれる可能性がグッと高まりました。Facebookはさらに大きな目標を立てていて、「10億人をVRに接続する」目標があるんです。ただスマホが普及するくらいまでVRが普及しないと、そうはならない。

とはいえ、かなりFacebookはVRの一般利用を意識していて、Oculusが提供を開始したVRでの会議システムHorizon Workroomsでは、VRを普段使いさせるようにフォーマットを意識して作っているのがよくわかるんですね。

一方で我々ゲーム会社の視点からみると、さまざまなサーヴィスがメタヴァースとして登場してくるのは間違いないと思うのですが、ひとつのメタヴァースに収斂するということは起きないだろうと思っています。それは、それぞれのゲームがメタヴァースのコミュニティを分ける役割をし続けるだろうと考えられるからです。

——やはりメタヴァースの成立にゲームは効果的なんですね。

新 國光も言った通り、ゲームっていうのはコミュニケーションのネタそのものなんですよ。インターネット環境も10年前に比べれば、はるかにアクセスしやすくなっている。かつ、ハードもアクセスしやすくなっている。そのようにユーザーが入りやすくなる環境がVRでも起きると思います。

たとえばアメリカのユーザーを見てみると、10代から20代の方がすごく多いんです。日本だとVRを触っているユーザーはもう少し上の年齢層のイメージがありますが、実際のゲーム・データを拾ってみるとそれくらいの年代が中心なんです。その人たちがコミュニケーション・ツールとしてもVRを選択しはじめています。

どういうふうになるかはまだ見えないですけど、確実にSNSとしてのVRは世界全体で共有されつつあると思っています。

『レディ・プレイヤー1』の「オアシス」を実現するために

——Thirdverseのこれからの活動はどのようになりそうですか。

新 弊社のプロジェクトは、未発表のものも含めて複数の開発ラインが走っています。『ソード・オブ・ガルガンチュア』も成長してきています。いまだにユーザーから頂くレヴューに「これはアニメや小説で有名な『ソードアート・オンライン』に最も近いゲームだ」と言われることが多く、非常にありがたいと感じています。

次のタイトルは『ソード・オブ・ガルガンチュア』をさらにパワーアップしたようなものを準備しております。

特に國光がゲームの中で凄く感じているのが、VRの中でリアルな戦いをやるのではなくて、VRでしかできないことをリアルに感じさせる体験を提供することがポイントなんだということです。そういうものをどう実現すればいいかを、うちの会社では考えています。

國光 『ソード・オブ・ガルガンチュア』自体はここからさらにいいゲームにアップデートすることを続けていきつつ、いま日本とアメリカで1本ずつ新作を作っています。

次の最新作では『ソード・オブ・ガルガンチュア』での学びをベースに、さらに進化したゲームを作っていく予定です。

——今後、開発していくゲームの目標などはありますか。

VRの中でリアルな戦いをやるのではなくて、VRでしかできないことをリアルに感じさせる体験を提供することがポイントなんだということです。（新）

國光 最終的に作りたいもののイメージは、『レディ・プレイヤー1』の仮想空間「オアシス」です。オアシスのひとつ手前の段階のイメージが『ソードアート・オンライン』です。

このふたつの決定的な違いは、ブロックチェーンの有無だと思っていて、『ソードアート・オンライン』の中でお金が稼げている様子がない。でも『レディ・プレイヤー1』の中では戦って稼いだお金で買い物していたじゃないですか。

だからオアシス上ではユーザーはお金を稼げているんですね。これができているのはゲーム上のオブジェクトがNFT化していて、資産性を持っているからと思っています。

最終的にオアシスに行きつくためには、その手前として『ソードアート・オンライン』のようなVRのMMORPGに行きつく必要があります。あそこは間違いなくヴァーチャルじゃないですか。知らない人同士でヴァーチャル上で集まっても、リアルの人間関係と変わらないとか。VRでの実在感があり、そこに本当に相手がいる感じだからリアルな関係が作れていると思うんですね。

VRのMMORPGを作るためには、僕ら自体のノウハウや技術もそうですが、ハードウェアのスペックがボトルネックになっているんですね。Oculus Quest 2のスペックでは、プレイヤーを10人同時に出すのが限界です。なのでハードウェアのスペックが上がっていくのを待つのも必要

新清士

になってきます。

『ソードアート・オンライン』を作る前段階に行くために、まず『ソード・オブ・ガルガンチュア』を出し、一定の評価を得て、しっかりとした経験を積んでいます。その経験を元に日本とアメリカで1本ずつ作り、トップティアに入れるものに持っていく予定です。

その次に「VRゲームといえばこれが代表作だ」と言われるほどの大ヒットタイトルを作るつもりです。その先に『ソードアート・オンライン』を作り、『レディ・プレイヤー1』のオアシスを作る。そういう順番ですね。

新　ハードの技術と没入感って常にバーターなんですね。『ソード・オブ・ガルガンチュア』は敵を吹っ飛ばすことができる機能が入っているのですが、物理演算が必要になります。これは計算量を必要とするため、同時に表示できる敵の数とのバランスを取る必要があります。『ソード・オブ・ガルガンチュア』の場合、4人までしか同時プレイができないのですが、そこがネックになっています。10人プレイして、敵の数を20体、30体出すと、計算量が膨大なものとなり、現在のハードでは処理しきれないのでゲームとして破綻してしまうんですよ。

これはハードのスペックによる限界のため、次世代のハードを待たないといけないんです。同時に、VRに求められる基礎のテクノロジーとして、両手を表示して自由に動かすことができるので、例えば空間の中での戦いなどは普通のコンソール・ゲームよりも正確かつシビアな処理が求められます。

そのため、ハードのスペックが上昇するほど、コアのテクノロジーを持っている会社は有利になります。いまの我々はそうした難度の高いコアのテクノロジーの蓄積を進めているところです。

なので、『ソード・オブ・ガルガンチュア』をリリースして2年経ち、いまだに剣戟をテーマとしたマルチプレイのゲームはほぼ存在しないんです。

――最後に、今後のメタヴァースについての展望を一言お願いします。

國光 最終的なメタヴァースの完成系は、VRとブロックチェーンが交わった所にあると信じています。そして5年以内に我々Thirdverseがオアシスを実現させます。……ちょっと無理かな(笑)、10年以内に実現させれば、と思います。

新 ちょっと前は3年以内と言ってましたよ(笑)。メタヴァースはユーザーのクリエイティヴィティをある程度吸収していかなければならないと思います。

ゲームのなかでユーザーが作れるものがあると、それで人が集まるネタとなって広がっていくので、開発するゲームでもそうした幅を作っていかなければならないと思っています。

(取材=葛西祝/写真=小原泰広)

葛西祝(かさい・はじめ)
ジャンル複合ライティング。ビデオゲームを中核に、アニメーションや映画、現代アートから格闘技を越境したテキストを書き続けている。Twitter：@EAbase887

Swords of Gargantua: Tesseract Abyss 2 - Official Trailer
https://www.youtube.com/watch?v=ZX1eUJeq0Vc

COLUMN

ブロックチェーン、ＮＦＴと個別に構築されるメタヴァース

斉藤賢爾

斉藤賢爾（さいとう・けんじ）
早稲田大学大学院経営管理研究科教授。１９９３年コーネル大学より工学修士号（コンピュータ科学）を取得。２００６年デジタル通貨の研究で慶應義塾大学より博士号（政策・メディア）を取得。同大学院政策・メディア研究科特任講師等を経て２０１９年より現職。一般社団法人ビヨンドブロックチェーン代表理事。一般社団法人アカデミーキャンプ代表理事。著書に『不思議の国のＮＥＯ』『信用の新世紀』等。みかんとＳＦが大好物。

メタヴァースは始まっている。今、僕はこの原稿を、ヘッドセットを被りヴァーチャル・デスクトップの画面を見ながら書いている。視野には、僕のコンピュータのデスクトップがそのまま現れていて……いや、そうだろうか。もしかすると『攻殻機動隊』の登場人物の１人、バトーが「俺の目を盗みやがったな！」（サイボーグ化された視覚をハックされ、目の前にいるはずの被疑者が見えなくなった）と言って狼狽えた時のように、僕の視覚も誰かに奪われていて、偽のデスクトップを見せられている可能性も否定できない。そういえば、メタヴァースの中で出会うアヴァターも、本当に僕が知る友人なのかどう

か定かでは無い。ネットの向こう側は、果たして本物なのか。

　そんな問題を解決するために「デジタル署名」という技術は使えるかも知れない。実際、僕らコンピュータ科学者やエンジニアはリモート・サーヴァーにログインする時にそうした技術を使ってサーヴァーが本物だと確認し、自分が本物だとサーヴァーに伝えている。

　デジタル署名では、自分が隠し持つ「秘密鍵」を明かさずに、それを使って「署名」したことをネットの向こうの相手に証明できる。僕の秘密鍵と対になる「公開鍵」を相手は持ち、しかもそれが本物だと知っているのが前提だ。

　では、持っているのが僕の本物の公開鍵だと相手はどうやって確認できるのだろう。直接相手と向き合って確認する方法を含め、それには色んなやり方があるけど、一般には、信用される第三者が僕の本物の公開鍵だという「証明書」を発行する。この証明書も実はデジタル署名で出来ているので、じゃあその署名をした第三者の公開鍵が本物だって誰が証明する？　ということになり、話が堂々巡りになることに加え、秘密鍵が漏洩したり、デジタル署名のアルゴリズムが古くなって破られる可能性もあるし、最悪なことに「証明書」には普通、有効期限が付けられていて、その期限が切れるという問題すら起きる。

　つまり、デジタル署名にはなかなか運用上の難点があるってことだけど、そうした難点を克服するための技術がブロックチェーンだと言える。

　そのことは「遺言書のデジタル化」という問題を通して説明できる。なんだ、デジタル化したいなら、本人が遺言書のファイルを作って、それにデジタル署名すればいいじゃないかって、読者は思うかも知れない。でも遺言書の問題は、それが使われる、つまり書かれた内容に沿って遺産を相続させる際に、本人が亡くなっているということだ。秘密鍵を隠し持つはずの本人がいないのなら、相続人の誰かが故人の机の引き出しから秘密鍵の入ったＵＳＢメモリとかを発見して、自分に都合よく遺言書を書き換えてから署名し直しているかも知れない。そんな疑いを捨て切れないから、これは厄介な問題になる。

　そこで、遺言書を書いた時に、それを本人のデジタル署名ごとブロックチェーンに書き込んでおく。ブロックチェーンは検閲が（可能な限り）出来ないように作られている。したがって、本人が遺言を遺したいなら必ず遺せるし、遺した文言は一字一句書き換えることができない。遺した日時も大体分かる。だとすれば、本人の生前、秘密鍵も漏れてなくて、署名アルゴリズムも古くなく、公開鍵の証明書の有効期限も切れていない時（あるいは公開鍵を言わば遺産の口座番号に使うことで公開鍵が本物かという問題も解決してしまう）に遺言書がそのままの形で存在していたと、本人の死後でも証明できる。

そんな風な証明は、例えば遠隔のヴィデオカメラがハックされる直前まで送ってきていた映像が本物かどうかとか、出国した後に母国が消滅してしまった人のパスポートが本物かどうかといった、難しい状況でも使えることになる。だからメタヴァースをはじめ、ネットでの活動にとってブロックチェーンのような技術は意味がある。

ところでブロックチェーンはビットコインに代表されるようにお金の技術だと多くの人々に思われている。話題のＮＦＴ（ノン・ファンジブル・トークン）もブロックチェーンで支えられた、つまり検閲から自由に送受金できるお金のひとつの形態だ。お金のファンジブル（代替可能）な性質というのは、丁度どの１万円札も普通は区別せず、束ねて何万円という量で扱えるようなことで、ＮＦＴはノン・ファンジブルだから、逆に１枚１枚のお札の番号を見て区別して扱うみたいになる。

だからデジタルアートに対応してＮＦＴを発行すれば、そのアートに対するユニークな（つまり唯一の）権利を表現できる、みたいなことも言われるわけだけど、気をつけなければならないのは、そのアートとＮＦＴの関係がユニークなのは、例えばイーサリアムというブロックチェーンで動いている、ある特定のアプリの中の話だけで、他のアプリでそのアートに対応する別のＮＦＴが発行されていないなんてことは、誰にも証明できない。だから、どこかで発行者を信用する必要があって、昔ながらの、ギャラリーが信用を得て絵画（版画の方がイメージが近いかな）を売るみたいな世界と何ら変わらない。

それに、ＮＦＴによるお金儲けが注目されているけど、要するにルールが未整備な間に値上がりを期待してトークンを買うってことだから、４００年ほど昔、大航海時代の最中、東インド会社から始まった株式会社がルール化されていくまでの間のワイルドな投資や儲け話みたいな状況を再び作り出したいだけのように見える。

だから僕は、真面目にアートをやろうとする人がＮＦＴに興味をもつことを、内心苦々しく思っている。

そもそもメタヴァースが進展していくなら、お金の世界は終わるはずだと僕は思う。なぜなら、メタヴァースは広い意

アカデミーキャンプVRより。創った月面ワールドでの記念撮影。

味で「メイカー・ムーヴメント」の中に位置づけられるからだ。この場合、makeする対象は世界そのものだ。お金の世界は、僕らが消費者であることを強いるけど、メイカーになると消費者ではなくなるので、お金の世界からは離れていくことになる。仮想世界の中だけじゃないかって言われるかも知れないけど、買えば済むって思うのを止めるには、まず考え方を変えることからだ。

そんな未来を、その担い手たちと一緒に探求したいと思い、僕は今、仲間らと一緒に、全国の小中学生や高校生たちと「アカデミーキャンプＶＲ」（略してアカキャンＶＲ）という活動を行っている。これは東日本大震災後、福島のこどもたちを主な参加者として、東北に新しいリーダーが育ってほしいと願って始めた「アカデミーキャンプ」のＶＲ版で、２０２０年からのコロナ禍もオンラインで続けてきたキャンプを、２０２１年からはＶＲで開催しているものだ。

僕の友人の平野友康氏や日大の航空宇宙工学科の阿部新助准教授らが「スターハウス」というプロジェクトを始めて、こどもたちと一緒にＶＲで宇宙旅行するって言うから、ＶＲで宇宙を体験させてもらえる話かと思ったら、こどもたちが宇宙船を建造するところから始めるというので、ぜひアカキャンでもやってみたいと思ったのがきっかけだ。

アカキャンVRでは、テーマ毎に必ずVRChatのワールドを創ることをゴールにしている。7月はみんなで月面基地を創り、8月はその月面基地で巨大な宇宙船を2隻も創って、月の周回軌道から旅立ち、木星の衛星エウロパに地球外生物を探査に行った（探査される地球外生物も『マインクラフト』でこどもたちが創った）。9月は現代&近未来医療がテーマで、新型コロナウイルスに対するmRNAワクチンのコードをほとんど1ステップずつ読んだり、宇宙では地球上の医療の常識が通用しないことを学んだ。

今は、1ナノメートルを1センチで換算して、DNAの幅が2センチ、RNAの情報からタンパク質を合成するリボソームが20センチ、新型コロナウイルスが120センチ、ヒトの細胞が200メートル、マクロファージが500メートルという細胞ワールドをみんなで創っている最中だ。

必ずワールドを創るのをゴールにしているのは、自分で世界を構築してこそ本当の学びになると思っているからで、メイカー・ムーヴメントとも共鳴する、コンピュータ科学者／教育者パパートによる「構築主義」の実践になっている。

メディア学者マクルーハンの『グーテンベルクの銀河系』

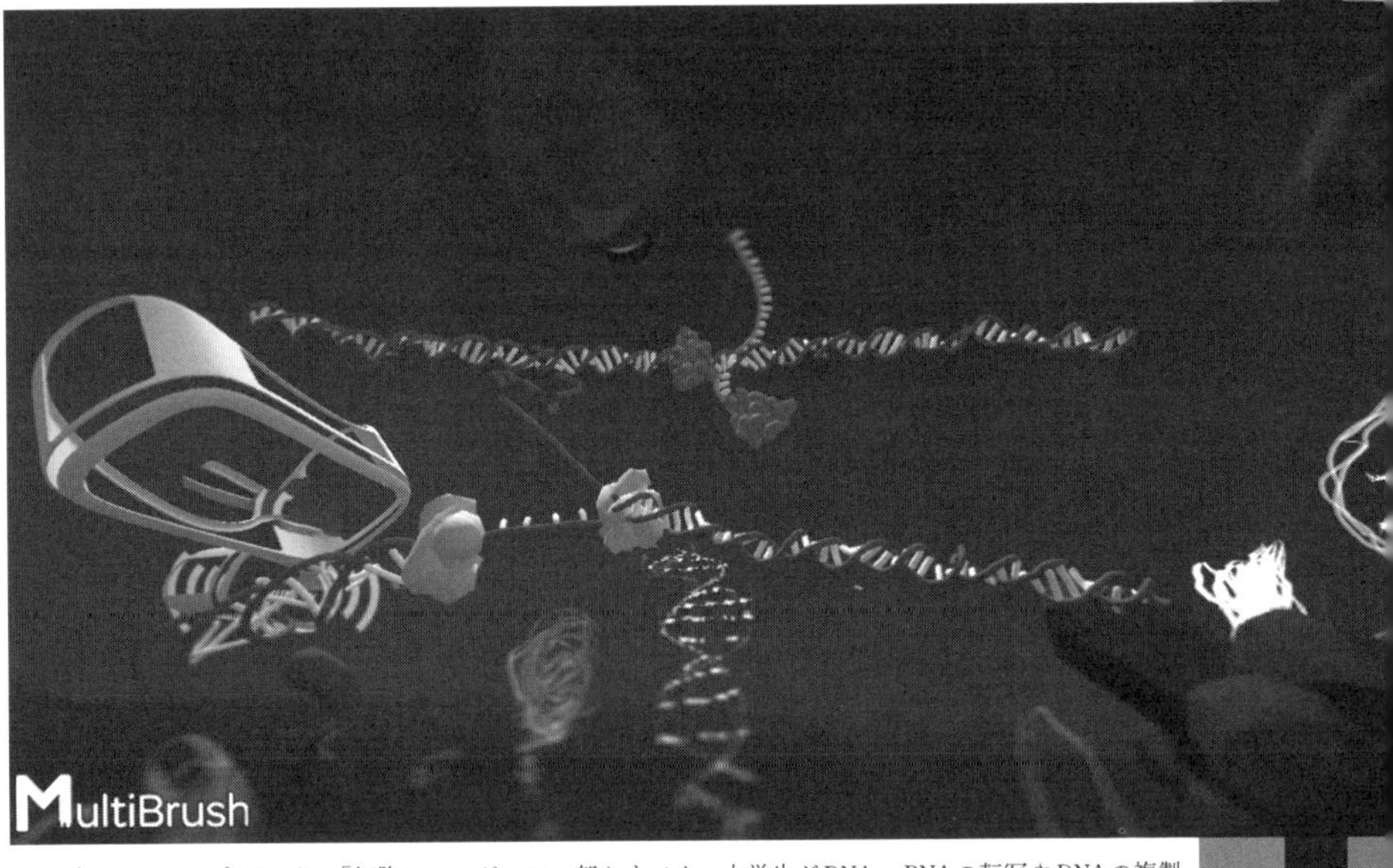

アカデミーキャンプVRより。「細胞ワールド」の一部とすべく、中学生がDNA→RNAの転写やDNAの複製の様子を3Dペイントしているところ。描けないところ（「？」となっている箇所）は未だ理解していないからだと本人が分かる。

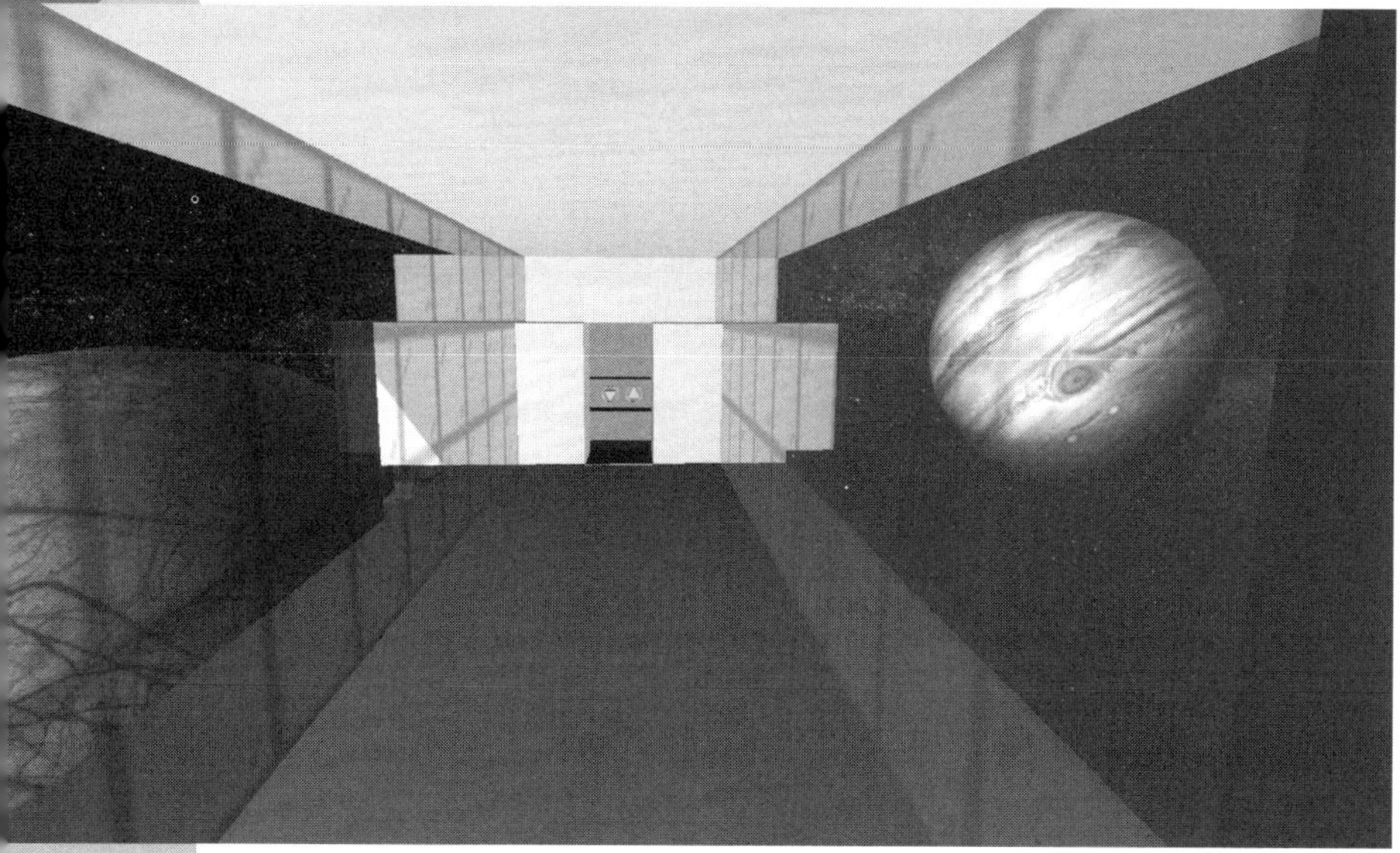

アカデミーキャンプVRより。こどもたちが創った宇宙船の中から見える木星とその衛星エウロパ。

は、活版印刷術、すなわち大量に同じ物をコピーする技術が産業社会の礎になったと明らかにした。そしてコピーの効率化のためにデジタル技術が発展したとも言えるけど、デジタルの本当の良さは単なるコピーではなく、自ら参加し創り出せることにある。

世界は、〝Do you copy?（オレが言っていることを頭の中で複写できたか？ 理解したか？）〟〝I copy.（理解した）〟で済む時代から「個別の構築」へと向かっている。メタヴァースの神髄は終わりゆくお金の世界の延命なんかじゃなく、各々が新たな世界を創り出すことにこそあると僕は信じている。

how-to

文＝編集部

実際にメタヴァースを体験してみよう①
ヴァーチャルSNS／ソーシャルVR編

VRChat

https://hello.vrchat.com/
対応PC／OS：Windows
対応ヘッドセット：Oculus、Vive

VRChat - Create, Share, Play
https://www.youtube.com/watch?v=PWLPw4RE9lg

ここでは「メタヴァース」をすでに実現しているものと捉え、いま注目のプラットフォーム／サーヴィスを紹介します。まずはヴァーチャルSNS／ソーシャルVRから。

いま世界で最もユーザー数が多いとされているのが、米VRChat社によるヴァーチャルSNS「VRChat」です。自分だけの「ワールド」を作ったり、アヴァターを介して他の人とコミュニケイトすることができます。迷う方は「とりあえずコレ！」と言える存在のサーヴィスです。どんな感じかは、本誌掲載のTREKKIE TRAXのインタヴューを参照(p.104)。とりあえず雰囲気を覗いてみるだけなら、VRヘッドセットがなくても体験可能です。

cluster

https://cluster.mu/
対応PC／OS：Windows、Mac、Android、iOS
対応ヘッドセット：Oculus、Vive

バーチャルSNS「cluster」を楽しもう！
https://www.youtube.com/watch?v=fFGOSI1aciE

「バーチャル渋谷」や「バーチャル原宿」などで話題になったプラットフォームが、日本のクラスター社が運営する「cluster」。イヴェント開催に強いのが特徴のサーヴィスです。『ソードアート・オンライン』(p.117)ともたびたびコラボを重ねてきました。会議から音楽ライヴ、ゲームまで、いろんな用途があります。なんとスマホからもアクセス可能、VRヘッドセットなしでも体験できます。

他にも、マイクロソフト社の「AltspaceVR」、ドワンゴ／インフィニットループ社の「Virtual Cast」、Solirax社の「NeosVR」、日本のambr社の「ambr」、フェイスブック社の「Facebook Horizon」などなど、さまざまなヴァーチャルSNS／ソーシャルVRがリリースされています。気になる方はぜひ検索してみてください。

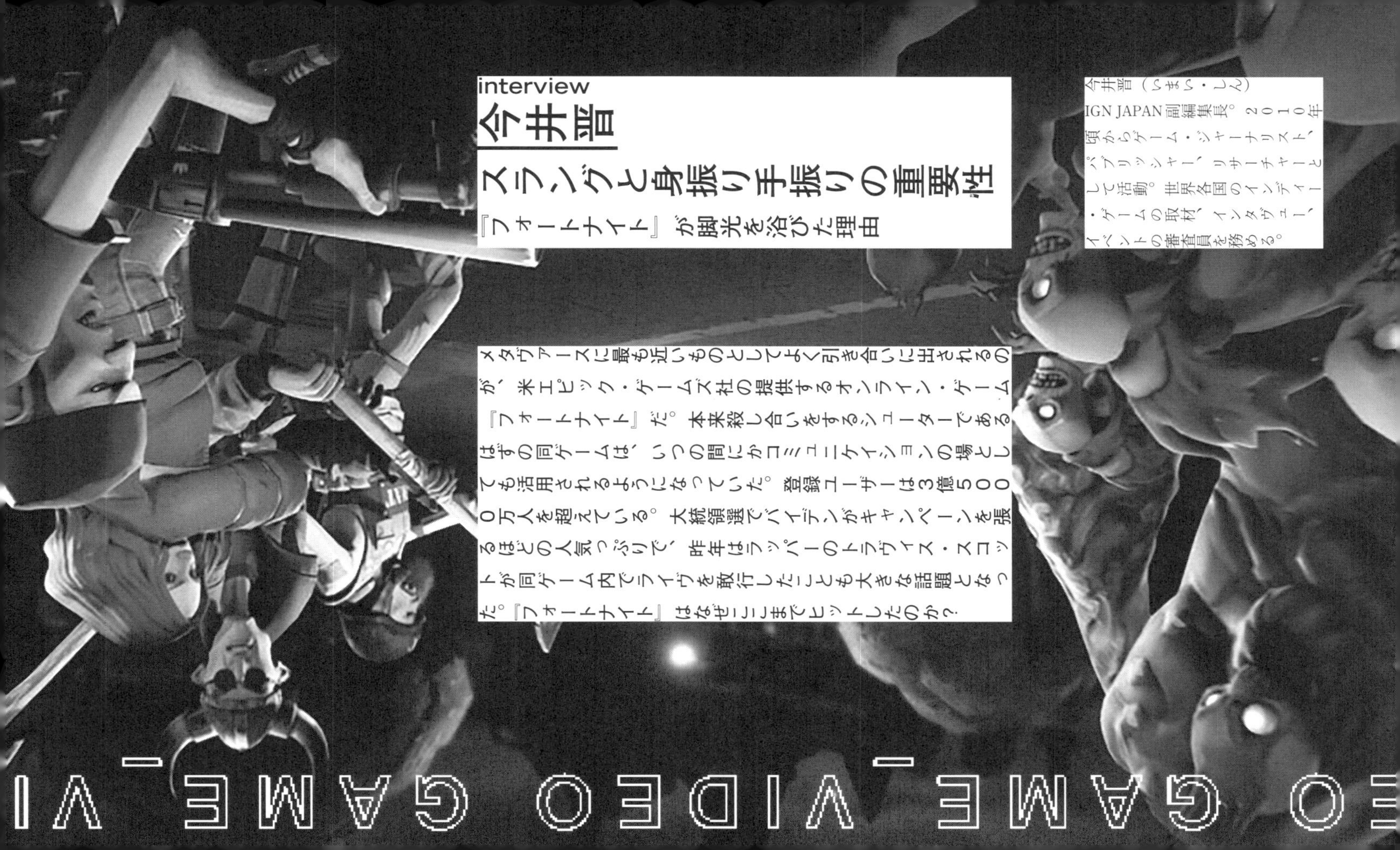

interview

今井晋

スラングと身振り手振りの重要性
『フォートナイト』が脚光を浴びた理由

今井晋（いまい・しん）
IGN JAPAN副編集長。2010年頃からゲーム・ジャーナリスト、パブリッシャー、リサーチャーとして活動。世界各国のインディー・ゲームの取材、インタヴュー、イベントの審査員を務める。

メタヴァースに最も近いものとしてよく引き合いに出されるのが、米エピック・ゲームズ社の提供するオンライン・ゲーム『フォートナイト』だ。本来殺し合いをするシューターであるはずの同ゲームは、いつの間にかコミュニケイションの場としても活用されるようになっていた。登録ユーザーは3億5000万人を超えている。大統領選でバイデンがキャンペーンを張るほどの人気っぷりで、昨年はラッパーのトラヴィス・スコットが同ゲーム内でライヴを敢行したことも大きな話題となった。『フォートナイト』はなぜここまでヒットしたのか？

『フォートナイト』にメタヴァースの期待がかかる理由

——ゲーム『フォートナイト』はしばしばメタヴァースに最も近いものとされます。同ゲーム内で２０２０年にトラヴィス・スコットがライヴをしたことは大きな話題になりました。ずばり『フォートナイト』はどこがすごかったのでしょう？

今井 『フォートナイト』が画期的だった点は、ゲーム内に大規模な空間があったこと、カスタマイズ可能なアヴァターがあったこと、エモート（emote：キャラクターにポーズをとらせたり、ダンスをさせたりすること）機能が具わっていたこと、それらが同時に達成されていたことにあります。個々の要素自体は新しいものではなく、これまでにあったものですが、それらが合わさったことでユーザー間のコミュニケイションを大いに刺戟したんです。

背景として、『フォートナイト』以前に、ゲーム・プレイヤーたちのコミュニティが独自の文化を形成していたことが大きい。そのひとつがスラングです。ゲーマー用語はたくさんありますが、そのほとんどがＭＭＯＲＰＧ（大規模多人数同時参加型オンラインＲＰＧ）、とりわけ『World of Warcraft』（２００４年）に由来しています。

代表的なものに、キイボードから離れていることを意味する「ＡＦＫ（away from keyboard）」や、ダメージ効率・瞬間の火力を意味する「ＤＰＳ（damage per second）」があります。そういった用語がゲーム内で流通し、ゲーム外でも若者言葉と混ざっていきました。たとえば弱体化を意味する「nerf」。もともとはキャラクターの能力が高すぎる場合に、アップデイトで下方修正することを指しましたが、いまでは「あいつナーフされた」というふうに現実でも使われ

Travis Scott and Fortnite Present: Astronomical (Full Event Video)
https://www.youtube.com/watch?v=wYeFAlVC8qU

ています。他にも、ゲーマーの挨拶の定型句として「GGHF（good game, have a fun）」というのがあります。これは日本ではあまり使われていませんが、いまでは韓国のラッパーやアーティストなどが使っています。日本でも人気のあるジェイ・パークとpH-1の曲〝ALL IN〟のタイトルは、もともとは「敵を倒すためにすべてのスキルを使い果たす」という意味のゲーマー用語ですし、歌詞中にも「KDA（Kill / Death / Assist）」といった語が含まれています。

そういったスラングの共有ともうひとつ、身振り手振りや喋り方などが文化として成立していたことも、メタヴァースの前提になっています。あるゲームにプレイヤーが参加したとき、会話できる下地ができていることが重要なのです。英語でも韓国語でも日本語でも、だいたい同じような言葉や振る舞いが通じること。その前提がなかったならば、『フォートナイト』が登場したときも、プレイヤーたちは簡単にはコミュニケイションをとれなかったでしょう。身体とテキストのコミュニケイションの確立があった上で『フォートナイト』の成功があります。そこにさらに、多人数が同時にプレイできる巨大な空間があったおかげで「じゃあライヴもできるし、他にもいろんなことができるよね」という流れになっていったんです。

——突然変異的な現象ではなかったのですね。

今井　とくに身振りやダンスが重要です。当然ながら身振りに関してはゲームごとにできることが全く違いました。ダンスは非言語ですから外国語を知らなくてもやりやすいし、目でわかるのでカジュアルに使えます。普通のメタヴァースであれば、音楽ライヴをやったとしてもせいぜいハンドクラップをしたりケミカルライトを振ったりするのが関の山ですが、『フォートナイト』にはエモートがたくさんありました。トラヴィス・スコットがライヴをしたときも、

Fortnite Chapter 2 Season 8 Story Trailer
https://www.youtube.com/watch?v=2lBFoxLvYHs

それ用に新たにいくつかエモートが用意されて、オーディエンスはヘッド・バンギングしたりすることができました。

面白いのは、そういったゲームのエモートをTikTokで真似する人たちがたくさん出てきたことです。インターネットが、テキスト・ベースのコミュニケイションから動画ベースのコミュニケイションへと移行しています。身体の言語的可能性が広がっているんです。TikTokが流行っているのも、結局は言葉よりも身振り手振りのほうがグローバルに伝わりやすいからです。その結果、人びとのダンスに対するセンスも格段に上がっていっています。ダンスは音楽にとって本質的ですよね。スウィング・ジャズの時代からダンスがあったし、ロックもクラブ・ミュージックも身体所作を伴っていました。いまはその身体所作の部分が加速して、既存の曲に新しい動きをつけたらバズるという現象まで起こっています。

これはゲームに限らずインターネット・カルチャー全般の動きで、メタヴァースに限定的なことではありませんが、我々の身体言語がどの程度メタヴァースで実現できるのかという点において重要なことだと思いますね。

揺るぎない現実の優位

今井 コロナの影響によりメタヴァース内で仕事をすることも現実味を帯びていますが、個人的にはメタヴァースは、本来的に会議みたいなものには適さないと思っています。会議では、もちろんある程度は表情も必要かもしれないですが、言語的なコミュニケイションやテキスト

スラングの共有と、もうひとつ、身振り手振りや喋り方などが文化として成立していたことも、メタヴァースの前提になっています。あるゲームにプレイヤーが参加したとき、会話できる下地ができていることが重要なのです。

が大きな要素を占めていますので。

いまメタヴァースに注目が集まっている状況は、かつてニコニコ動画がスタートしたときのお祭り感覚に近い。一時的にドカッと人は集まっていますが、メタヴァースでずっと生活するような人は、よほどのハードコアなユーザーくらいでしょう。現時点ではやはり、多くの人にとってリアルにおける時間の拘束や生活のほうが重要です。コロナ禍という状況があるので、ライヴのような非日常を味わうためにメタヴァースに行く、ということ自体はカジュアルになっていくとは思います。でもやはり、まだまだリアルはものすごく強い。完全にメタヴァースで生活するには捨てるものや失うものが大きすぎますから。いずれ『マトリックス』のように電脳化すれば別ですが。

仕事だけでなくゲームの観点から見ても、現実の存在は大きいんです。どれほどゲームに熱中し、あるいはアヴァターに凝ったとしても、やはり若者は現実の飲み会や現実のファッション、現実の付き合いを捨て切れませんから。おじさんよりもその欲求は高いでしょう。

——現実で会って、路上飲みするわけですからね。

今井 もちろん、非日常を味わえる魅力がありますから、お祭りとしてのメタヴァースは盛り上がるでしょう。ただそこでずっと過ごしたいと願う人がそこまで多いとは思えない。メタヴァースの世界と現実の世界、どちらがより快適か、どちらのほうがよりかっこいいかという点で勝負するなら、まだまだ現実の力は非常に強力です。現実における他人とのインタラクティヴやファッションなどを含めたソーシャルな価値というのは、本当に他のものと代えがたいですからね。

その現実の分厚さに対してゲームの側が考えている戦略は、ゲームの世界をリッチ化することで人を呼び込むと同時に、逆にゲームの世界観を現実に反映させるというものです。『フォートナイト』もそうですが、より良い例は『リーグ・オブ・レジェンド（以下、LoL）』でしょう。一日の同時接続人数が一億人を超えるようなモンスター急の大規模タイトルで、プレイヤーの人数だけみれば『フォートナイト』を超えています。eスポーツのタイトルとしても最も長い間、公式の競技として続いてきました。この『LoL』は見下ろし型のストラテジー・ゲームで、メタヴァースとして見た場合やや地味です。ではどのように彼らがビジネスを拡大したかというと、ゲームの世界観と現実を融合することによってでした。つまり、いかにゲームの世界観をゲーマー以外の人に届けるか、ということです。

派手な例だと、ルイ・ヴィトンにゲーム内のスキン（キャラクターの見た目を変更するもの、着せ替え要素）を作成してもらい、それと同じ服をデザインして現実で売るという手法がありました。さらに、ゲーム内のキャラクターにルイ・ヴィトンの服を着せて、彼女たちをグラビアにした記事をファッション誌につくらせました。日本でこれに近いことをやっているのはVTuberや初音ミクのようなヴァーチャル・アイドルですが、それをもっと巨大な規模でやったヴァージョンと言えます。そうしてゲーム内の要素を現実に持ち込みプロモートすることによって、ゲームをやらない人の間でも人気を獲得しました。『LoL』内のキャラクターをベースにしたK／DAというヴァーチャル・グループの存在も大きかったですね。Kポップをやっているという設定ですが、作曲などに現実の有名アーティストを起用し、Spotifyの再生数もかなりの数字になっています。

現実の存在は大きいんです。どれほどゲームに熱中し、あるいはアヴァターに凝ったとしても、やはり若者は現実の飲み会や現実のファッション、現実の付き合いを捨て切れません。

こういう方向性は他のゲームにも見られます。最近だと、スニーカー・ブームを受けて、XboxやPlayStationのようなプラットフォームがスニーカーとコラボレイトしています。そういう流れがゲーム業界では起こっていますね。

――メタヴァースが活性化することで、現実の動きに変化が起こるというのは面白い話です。

今井 以前はファッションにおいてデジタルが先行するというのはあまり想像できませんでしたが、いまはコレクションの発表をヴァーチャルでやる試みもはじまっています。メタヴァース内でアヴァターやスキンをデザインできる状況になれば、どこかのメタヴァースがファッション・ショウを誘致してヴァーチャル・ファッション・ショウを開催、ヴァーチャルで服を売りつつ、それを現実の服としても売る、みたいなことは当然起こってくるでしょう。

ただ、そのためにはやはりそのメタヴァースの世界観なりキャラクターなりがかっこよくなきゃダメなんです。かっこよさを追求する場合、無色無印のプラットフォームは弱い。既存のメタヴァースには純粋にプラットフォームであることを目指しているものもありますが、あまりデザインの特徴がなかったり、あってもそれほどかっこよくなかったりします。世界観というのはコンテンツですから、コンテンツをつくるときに優位になるのは、結局のところゲームなんです。

『フォートナイト』にはそれ自体にデザインのスキームがあり、カラーリングなどに独自のルールがあるので、ゲーム内でデザインが可能です。とはいえ『フォートナイト』は自身の世界観以外のコンテンツはつくれないわけですから、他に欲しい要素があれば他のゲームを求める必要が出てきます。結果、たとえばファンタジー世界のメタヴァースの人気が上昇したり、といったことは今後起こりうるでしょう。『フォートナイト』の世界観はポップでカジュアルでストリート・スタイルです。それ以外の雰囲気が好きな人の受け皿になるのは、おそらくSFかファンタジーです。SFの場合、デザインはメカやアンドロイドになりますので現実へ移すとき実現が難しいかもしれないですが、ファンタジーは比較的移しやすい。とくに日本はファンタジー世界が得意ですしね。ただファンタジーの場合はアニメの世界観にも近づくため、アニメに寄りすぎると現実に合わせづらくなるという問題も出てくるかもしれません。その辺りのバランスは難しそうですね。

『マインクラフト』『Roblox』『どうぶつの森』

――『フォートナイト』以降、メタヴァースの文脈では他にどのようなゲームが話題になっていますか?

今井 MMORPG的なものだと『原神』が人気ですね。ただ世界観がかなりアニメ寄りですので、現実への応用という点では厳しいと思います。とはいえ、そのデザインの志向性はVTuberのファッションに影響を与えているとは思います。「『原神』っぽいキャラクターをつくってくれ」というオファーがあったりしますから。アニメ寄りのスタイルだとVTuberとの親和性が高いのでコラボしやすいというのはありますね。

――逆に、『フォートナイト』以前で重要なゲームには何があったのでしょう?

今井 大規模な空間という点ではMMORPGがありました。最初のほうで話しましたが、やはり『World of Warcraft』の影響が大きいです。日本の場合は『ファイナルファンタジーXI』、『ファンタシースターオンライン2』、『ドラゴンクエストX』などがありましたが、現在は『ファイナルファンタジーXIV』が圧倒的な人気ですね。『World of Warcraft』の開発元のブリザードがセクハラ問題で炎上して、そちらからのユーザーが流入していることもありますが、麻雀といった変わったコンテンツを実装したり、ファン・コミュニティが非常に活発だったりしています。

――メタヴァースの文脈では、ときおり『マインクラフト』の名前も見かけます。

今井 カスタマイズ性という点では、圧倒的に『マインクラフト』ですね。そもそも世界自体をつくることを遊びにしたゲームで、そういったゲームは「サンドボックス」と呼ばれています。「何でもつくれますよ」と人の創造性を刺戟するんです。ブロックひとつ置くだけで、自分のつくりたいものを表現できるのは大きかった。遡ればMMORPGにもクラフト要素はありましたが、いかんせんヴィジュアル的な変化に乏しかった。『マインクラフト』は圧倒的に自由度の高いプラットフォームですのでメタヴァース的に使われていますが、教育的な観点からも使われています。デザインがレゴブロックのような感じなので子どものおもちゃにふさわしく、いろいろグッズが出ていますね。『フォートナイト』のように現実のアーティストのライヴをやるというのは難しいと思いますが、ゲーム内の生産システムを発展させて、自分で作ったものを販売するという試みをやっている人はいます。

それと近い路線だと、いま若年層に人気なのは『Roblox』ですね。自分でゲームのシステムをつくって楽しむというゲームで、かなりメタヴァース志向が強い。今後、現実のライヴを誘致したりする可能性もありえます。

――『どうぶつの森』もしばしばメタヴァースの文脈で名前があがります。

建築家の最初の仕事の場としてゲームが選ばれることは今後増えていくかもしれません。ゲーム内で実証して、「これは面白い」ということになればリアルでも建築する。そういう流れは発生しうると思います。

今井 『どうぶつの森』は、ゆるいコミュニケイションをするのには適していると思います。ゲーム内で自分がデザインしたものをつくれるという点も、たしかにメタヴァースの取り組みとして使える要素でしょうね。

メタヴァースと親和性の高い分野

今井 いずれにせよ、『フォートナイト』が大きな注目を集めることになったきっかけは、現実のミュージシャンであるトラヴィス・スコットや米津玄師のライヴでした。ゲーム内の要素ではなく、現実の人がゲーム内に参入してきたことが重要だったわけです。これはまだ現実が優位であること示しています。メタヴァース内で先に有名になるようなアーティストが出てくるくらいでないと、メタヴァースは本格化しないのではないかという気がしますね。

――『フォートナイト』がライヴによって注目を集めたということは、メタヴァースと最も親和的な分野は音楽ということになるのでしょうか？

今井 音楽もひとつとしてはあります。今後、新曲を発表する場がメタヴァース内になる可能性は高い。楽曲ファイルをアップロードするくらいは簡単ですし。ただ現時点だと、メタヴァース内でやるメリットがよく見えませんね。

いまの日本のメインストリームの音楽シーンには、ニコ動で活躍していた人やボカロP出身の人が多いですよね。デジタルのプラットフォーム出身という意味で、構図としてはメタヴァースと近い部分もありますので、最初にメタヴァース内のアーティストとして登場してきてその後リアルでもデビューする、という図式は今後ありえるとは思います。

確実に親和性が高いのは、音楽よりもデザインの分野ですね。メタヴァース内のデザイナーが現実のファッション・デザイナーになる。あるいはその逆のパターンですが、最近『PUBG（PlayerUnknown's Battlegrounds）』の建物コンサルタントとして建築家の故ザハ・ハディッドが選ばれる、というニュースがありました。彼女の建築は、現実では実現できなことで有名でしたが、ゲーム内ならできるだろう、ということです。建築家の最初の仕事の場としてゲームが選ばれることは今後増えていくかもしれません。ゲーム内で実証して、「これは面白い」ということになればリアルでも建築する。そういう流れは発生しうると思います。そんなふうにメタヴァースが先行するアートフォームが出てくれば本当に面白くなってくるでしょう。『マインクラフト』で延々と建物を作っている人たちがいますが、彼らのようなクリエイションが現実世界に影響を及ぼす可能性はありますね。

――今井さんはゲーム・ジャーナリストですが、現実への関心が高いですよね。

今井　ゲームがリアルに与える影響に興味がありますね。たとえば現代では、若者のファッションセンスがゲーム的になっていますよね。髪の毛の色が青だったりピンクだったりする子がこんなに普通に増える世の中になるとは思っていませんでした。アニメからの影響もあるとは思いますが、ゲームからの影響も相当大きいと思います。ゲームで培った美的センスと、何でも変えていいというサイバーパンク的な思考が合わさってきています。Z世代におけるゲームの影響力の大きさは、そういうところに表れていると思いますね。

（取材＝小林拓音）

Video Game / History

COLUMN

プレヒストリック・メタヴァース

「ごっこ遊び」はいかにして「メタヴァース」へと至ったか

田中〝hally〟治久

PLATO IVの端末機。1972年頃から使用されていたもの。

田中〝hally〟治久（たなか・はりー・はるひさ）ゲーム史／ゲーム音楽史研究家。主著に『チップチューンのすべて』、監修に『ゲーム音楽ディスクガイド』『インディ・ゲーム名作選』など。2014年に『ロールプレイングゲームサイド Vol.1』誌上でPLATOに始まるネットワークRPG黎明期の歴史を日本で初めて包括的に紹介し、同ジャンルの歴史認識を根本から刷新した。

コンピュータ・ゲームから紐解く メタヴァース前史

概念としてのメタヴァースがSF小説『スノウ・クラッシュ』に起源を持つことは論を俟たないが、ヴァーチャル・ワールドのなかに息づくアヴァター社会と

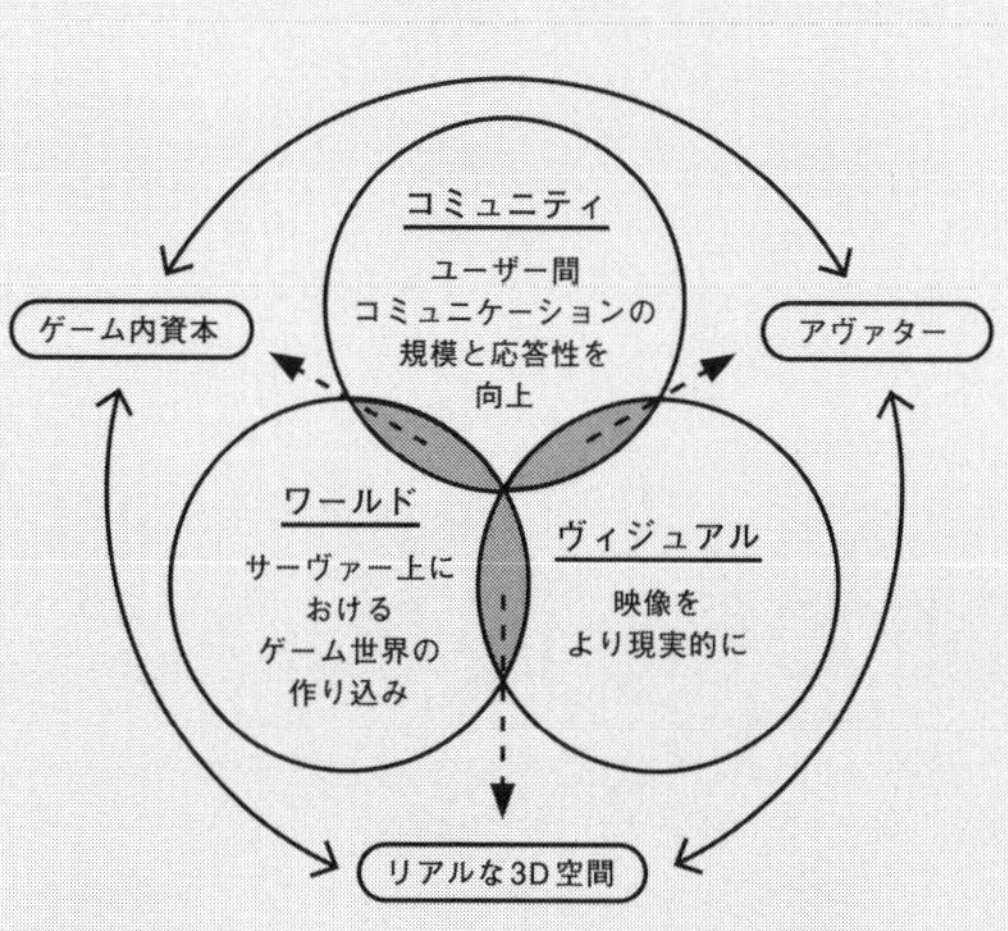

メタヴァースの前提
コミュニティ／ワールド／ヴィジュアル

ヴィデオ・ゲームにおけるヴァーチャル・ワールドは「コミュニティ」「ワールド」「ヴィジュアル」という三つのルートから進化を遂げた。そして、それぞれの進化が交差するところに「アヴァター」「リアルな3D空間」「ゲーム内資本」という新しい概念が生まれてくる。メタヴァースの時代に入ると、これらの新概念もまた相互に作用しあうようになった。

いう構図は、それよりずっと古いルーツを持っている。その原型は遡れば1970年代のコンピュータ・ゲームに、すでに見られるものである。そこからさまざまな試行が少しずつ積み重ねられて、メタヴァースへと繋がっていく。その歴史的な過程を追うのが本稿の狙いである。

　まずアヴァターという概念の根本から考えてみよう。その中核にあるのは「異世界にいる何者かを演じ続ける」という行為である。「演じる」ではなく「演じ続ける」であることに注意してほしい。この継続性は、演劇やごっこ遊びといった1セッション限りのイヴェントからは、決して生まれ得ない。ではその起源は何かというと、ロールプレイング・ゲーム（以下RPG）の始祖『ダンジョンズ&ドラゴンズ』（1974、以下『D&D』）なのである。コンピュータを用いない、紙とペンとサイコロを用いて行うファンタジー冒険ゲームだが、これが人類史上において初めて他者を演じること（ロールプレイ）を制度化し、システムとして「演じ続ける」ことを要求するものとなった。それ以前のゲーム・システム、たとえばウォー・シミュレーションなどにもロールプレイは確かにあった。しかしそれはやはり1セッション限りであり、演じる対象も司令官や歩兵といった「役割」だけだった。その人の「個性」つまり何処の誰で、どんな容姿で、どんな性格で……といったことは基本的に問わなかったのである。『D&D』はこれを大きく変えた。参加者ひとりひとりが演じるキャラクターについて出自、性格、身体的特徴などを細かく設定する必要がある。そして一度のゲーム・セッションが終わっても、演じる役柄は次のセッションに引き継がれうる。「継続する異世界」と、そこに暮らす「もうひとりの自分」というメタヴァースの原初の姿が、ここにはじめて姿を現したのである。

PLATO

『D&D』は異世界でのロールプレイに、ウォー・シミュレーション特有の「数値で計算された戦闘行為」が融合したゲームであるともいえる。ならば計算の部分はコンピュータにやらせればいいのではないか？『D&D』ファンの学生たちがそれに気づくまで、さほど時間はかからなかった。そしてそれを試す格好の環境となったのが、イリノイ大学を中心に展開していた学習用コンピュータ・ネットワーク・PLATOだった。当時有数のスーパーコンピュータと、単色ながら高精細なグラフィック端末で構成されていたPLATOのシステムは、インターネットの姿を20年先取りしていたといっても過言ではないほどの環境を学生たちに提供していた。チャットもメールも掲示板も、そしてネット・ゲームもそこにはすでにあったのである。そうして1975年ごろ、PLATOに集う学生の一人が現存最古のコンピュータRPG『pedit5』を作り上げた。これはシングルプレイ専用だったが、1977年になるとついにネットワークごしの多人数同時プレイを実現したものが登場する。『ウブリエット』と名付けられたそのゲームは、擬似的な立体表現を行った最初のコンピュータRPGでもあった（高名な『ウィザードリィ』（1981）はこの作品を元にしている）。こうしてコンピュータ上にも「継続する異世界」と「もうひとりの自分」、さらにそれらを支えるヴィジュアルが生み出されるに至ったのだ。

『マルチユーザーダンジョン』

PLATOのネットワークRPGはいずれも、グラフィックスが単色であることを除けば、10年後の商用ゲームと比較しても遜色ない出来栄えだった。しかし残念なことにそれらはPLATOユーザー以外にほとんど知られることなく、1990年代には忘れ去られていく。PLATOの資産は後世のネットワークRPGにほとんど影響を与えなかったのである。

影響という点でいえば、最も重要なのは『マルチユーザーダンジョン』（1979、以下『MUD』）だろう。英国エセックス大学の学生たちが作り出したこのゲームは、PLATOより格段に非力なコンピュータと端末で動作するものであり、ヴィジュアルを表示することさえできなかった。現在地やそこにある物体、キャラクターなど、あらゆる情報はテキストで表現され、行動の指示も単語入力で行う必要があった。経験値やレベルアップの要素は確かにあるが、システム面からいえばこれはRPGではなく、アドヴェンチャー・ゲームである（アドヴェンチャー・ゲームもまた別の形で『D&D』をコンピュータ上に再現すべく考案されたものだ）。ただし視覚要素がないというのは必ずしも退行ではない。そもそも『D&D』は会話と計算を主要素とする、つまりヴィジュアルがなくても成り立つゲームなのである。『MUD』はまさにそこに立脚し、プレイヤー間の会話によるインタラクションを最重要視したのである。その結果、PLATOの先行作品よりも自由で複雑な行動が許容されるゲームが生まれた。たとえば「システム的に意味のない振る舞い」をすることもできるのだ。これは今日のエモート機能の原点であり、実際に『MUD』界隈でもエモートと呼ばれていた。さらには他のキャラクターを殺害したり、その所持品を奪ったりするという反社会的な行動を取ることもできる。のちのネットワークRPGに見られる「プレイヤーキル」（Player versus Player、以下「PvP」）である。行動の正邪をジャッジするのはシステムではなく、ゲームに集う人々の「社会」だということを、『MUD』はすでに織り込んでいたのである。これによってコンピュータ上の異世界にはじめて、社会秩序が自生することになった。

『MUD』はシステム面のみならず、サーヴィス展開においても先鋭的だった。この時代には電話回線を用いた大衆向けコンピュータ・ネットワーク（いわゆるパソコン通信）が少しずつ普及しはじめており、『MUD』はこれを通じた外部からのアクセスに対応したのである。さらに1983年からは従量課金制による商業展開を成功させ、このようなオンライン・ゲームがビジネスになりうることを示してみせた。やがて類似のゲームがあちこちから登場しはじめ、『MUD』はひとつのジャンルとして認知されるようになった（以下、ジャンルとしてのMUDはカギカッコなしで表記する）。現在でも多くのMUDがインターネット上でプレイ可能である。

『ハビタット』

MUDが後世に与えた影響は計り知れないが、それが具体的に見えてくるのは90年代に入ってからだ。この当時のパソコン通信には、MUDよりもさらにセンセーショナルなプレ・メタヴァース作品が現れていた。ルーカスフィルムのゲーム部門が送り出した『ハビタット』（1986）である。建築物やキャラクターをカラフルなドット絵でリアルタイムに表示し、カスタマイズ可能な自分の分身に初めて「アヴァター」という呼称を与えたこのヴァーチャル・ワールドは、俗に

「世界初のグラフィカルMUD」などと呼ばれたりもする。もっとも開発にあたってMUDは参照していない。ルーツとして挙げられているのはごっこ遊び、紙とペンのRPG、そしてコンピュータSF小説だ。SF小説では特にヴァーナー・ヴィンジ『マイクロチップの魔術師』（1981）の影響が大きかったという。サイバーパンクの先駆として知られるこの物語には、まさにメタヴァース的なアヴァター社会が描かれていた。

『ハビタット』はヴィジュアル面以外でも、いくつかの先鋭的な試みを行っている。たとえばゲーム内通貨による経済システムの構築や、かつてなく大規模なユーザー・コミュニティの創出である。PLATOやMUDがせいぜい数十〜数百人程度のユーザー規模だったのに対し、『ハビタット』は数千〜数万人単位のユーザーを前提とした設計になっていた。

このような規模のヴァーチャル社会（しかもPvPまで許容する）を何のノウハウもなく運営するのは、容易なことではない。運営開始からしばらくして、開発者たちはユーザーたちの振る舞いが常に自分たちの予想を超えてくることに気づいた。手の込んだイヴェントがあっという間に突破されたり、ちょっとしたバグを突いてシステムの根幹に関わる行動を起こされたりする。だから中央集権的な運営が、しばしばうまく機能しなかったのである。やがて運営サイドは過度の干渉を避けるようになった。その結果ヴァーチャル社会の住人たちはある種の自治を行うようになる。たとえばPvPの是非を巡って激しい論争が起きたとき、PvP否定派は選挙によって「保安官」を選出し、犯罪者の取締に乗り出した（さらに後にはアヴァター愛を説く宗教まで出現した）。『ハビタット』の開発者は後に、次世代のヴァーチャル・ワールド開発者に向けた教訓として「コミュニティを自分の思う方向に押しやろうとするのではなく、人々が何をしているのかを観察し、それを助けるようにするのがいい」と述べている。この考え方は現代でも十分通用するものであるといえるだろう。

本家アメリカの『ハビタット』は2年のベータ版期間後、規模縮小を経て終了したが、1989年には日本に上陸し、本邦初のヴァーチャル・ワールドとなった。ローカライズにあたってはPvPが削除されるなどいくつかの重要な変更が行われた。そのためもあってか日本版はかなり長続きし、リニューアル版『ハビタットII』（1996）は日本主導で作られた。これと同様のシステムは『Worlds Away』の名でアメリカに逆上陸を果たしている。日本版はその後さらなるリニューアルで『J-チャット』（1999）

Habitat
出典："Compute!" Issue 77 Vol.8 No.10 (ABC Publishing, Oct. 1986) p.34

となり、2010年まで継続した。

ちなみに日本版でもやはり運営の想定を超えるようなさまざまな事象が発生したという。特に「赤シャツ隊」と呼ばれるダンス集団の登場や、「ヤクザ」と呼ばれるイリーガル組織の跋扈は、その後のオンライン・ゲームにおける同様の現象の先駆として参考になるものである。

レイプ・イン・サイバースペース

ここで再びMUDに視点を戻そう。1990年代初頭には無数のMUDヴァリアントが登場しており、そのなかにはMOO（MUD, object-oriented）と呼ばれるより拡張性を高めた新種もあった。最初期のMOOのひとつに『LambdaMOO』（1990）がある。これは「娯楽以外の用途にMUDを役立たせられないか」という構想のもとに、ゼロックスのパロ・アルト研究所で試験的に運用されていたもので、通常のMUDにはない変わり種のアイテムが用意されていたりもした。たとえば他のプレイヤーに意図しない行動を取らせることができる「ヴードゥー人形」などである。そしてこの「ヴードゥー人形」が、ひとつの事件を呼び起こすことになった。1993年のある日、とあるプレイヤーが突然「ヴードゥー人形」を悪用しはじめたのだ。多くのキャラクターが集うエントランス・ホール的な部屋の中で、そのプレイヤーは卑猥な行動を取らせる「レイプ表現」を女性たちに向けて乱発した。その場に居合わせた全員が、嫌でもこの凶行を目にしなければならなかった。惨劇は『ヴィレッジ・ヴォイス』紙のコラムで「レイプ・イン・サイバースペース」として紹介され、大いに波紋を呼ぶところとなる。はたしてこれは言論の自由か？　それとも新種の犯罪か？　犯罪であるとすればどのような？　明確な答えは出なかったが、少なくともこの事件で心的外傷を負った人がいたことは確かであり、その意味でヴァーチャル・ワールドの虚構性が動揺したことも間違いなかった。たとえ想像上の異世界におけるロールプレイであっても、それは現実世界と地続きであるということが、目に見える形で示されたのだ。アメリカではこれをきっかけに、サイバー空間に対する法整備の必要性が認知されはじめたという。

　この種のサイバーレイプ問題は、その後も現代に至るまでたびたび浮上しているが、未だに根本的な解決策は見つかっていない。たびたび指摘されるのは、殺人さえ正当化しうるゲームの世界にあっても、レイプは正当化しえないという捻じれた構図だ。この事実はヴァーチャル・ワールドにおける倫理の構築が一筋縄ではいかないことを教えてくれる。

インターネット時代のＭＵＤと
アヴァター・チャット

Windows95発売の熱狂とともにインターネットの個人利用が一気に拡大した１９９５年という年は、ヴァーチャル・ワールド史におけるひとつのターニング・ポイントとなった。より大規模なオンライン・コミュニティを見据えたサーヴィスが、いっせいに登場するようになったのだ。たとえばグラフィカルＭＵＤの開発が、この頃から活性化している。もっともそれは従来のテキスト型ＭＵＤを駆逐するようなものではなかった。この頃のテキスト型ＭＵＤの多くは高度に洗練された複雑なシステムを有しており、いわば玄人向けの発展を遂げていた。これに対しグラフィカルＭＵＤはより単純明快な、どちらかといえば低年齢向けのところに落ち着く傾向にあった。最も成功したグラフィカルＭＵＤのひとつ『ファーカディア』（１９９６）はその典型で、これには戦闘要素がなく、ユーザーによるコンテンツ生成を重視した設計になっていた。本質的にはＭＵＤよりもアヴァター型チャット・サーヴィス、つまり『ハビタット』の系譜に近い。

　この時代のヴァーチャル・ワールドを先導したのは、ゲーム以上にアヴァター型チャット・サーヴィスだった。数え切れないほど多くのものが登場したが、そのなかで注目すべきもののひとつに、ティーンエイジャー人気の高かった『ザ・パレス』（１９９５）がある。ここに集う（主として）少女たちは、運営サイドの預かり知らないところでアヴァターの着せ替え規格を独自に生み出し、ドレスアップの優劣を競い合ったり装飾を交換したりする文化を発達させるまでになった。アヴァターの外見は、単に好みや美的センスを反映するのみならず、ヴァーチャル・ワールドにおける社会的ポジションや発言力にも影響を及ぼす。その意味でまさに社会資本といえるものであり、『ザ・パレス』はそれを初めて如実に表面化させた例となった。一部のアヴァターはやがてサーヴィスの外側に飛び出し、たびたびグッズ化されるほどの人気を博してさえいる。

『VRChat』と『セカンドライフ』を予見させるもの

当時のアヴァター型チャット・サーヴィスとしてはもうひとつ、リアルタイムな３Ｄヴァーチャル・ワールドを初めて普及させた『ワールズチャット』（１９９５）にも言及しておくべきだろう。日本にも上陸したのでご存じの方もいるだろうが、ユーザーが自由に拡張することのできる空間に、統一感のないアヴァターたちがひしめきあう様子は、まぎれもなく『VRChat』（２０１４）の原風景である。大きな成功を収めた『ワールズチャット』だが、もともとはマルチユーザー技術のデモにすぎないものだったという。開発陣にとっての真打ちは、少し遅れてサーヴィスを開始した『アクティヴワールズ』（１９９５、オープン当初の名称は『アルファワールド』）だった。これは『スノウ・クラッシュ』にヒントを得たきわめて野心的なヴァーチャル・ワールドで、いうなれば「10年早すぎた『セカンドライフ』（２００３）」である。単なるコミュニケーションだけでなく、広大な３Ｄ空間における街の創造にも主眼を置いており、課金ユーザーは敷地内になんでも組み立てることができた。法人向けにヴァーチャル空間を提供し、多くの大企業や学校を誘致した点もよく似ている。『セカンドライフ』と大きく異なるのはゲーム内経済の要素がない点だが、当時はその技術基盤さえ、まだないに等しかった。『アクティヴワールズ』は１９９７年の時点でユーザー数が20万人を超えるほどに盛況だったが、ドットコムバブルの崩壊した２００１年を境に急速に過疎化していく。ただしサーヴィス自体は現在も存続中である。

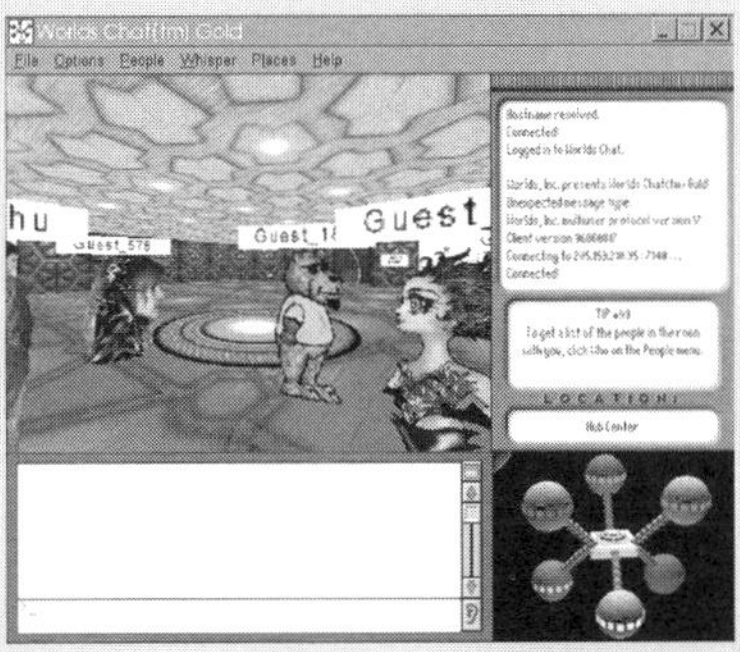

Worlds Chat　出典：Bruce Damer "Avatars! Exploring and Building Virtual Worlds on the Internet" (Peachpit Press, 1997) ※画像は下記オンライン版より引用 https://www.digitalspace.com/avatars/book/fullbook/index.htm

Active Worlds　出典：Bruce Damer 'Meeting in the Ether: A Brief History of Virtual Worlds as a Medium for User-Created Events' ("Articfaict", Volume II, Issue 2 2008) p.103

日本型MUD?　なりきりチャット

インターネットの時代に入ると、遅れ馳せながら日本にもMUDのようなテキスト型のロールプレイ文化「なりきりチャット」が勃興する。もっともこれは（一部例外はあるものの）ゲーム的な性質を帯びたものではなく、MUDのような専用プログラムも用いない。無料のチャット用CGIだけでロールプレイを行うのである。「ごっこ遊び」から「演じ続ける」は生まれ得ないと最初に書いたが、日本では例外的にそれが起きていたのだ。起源ははっきりしないが、四つの方向から同時多発的なアプローチがあったと言われている。漫画やアニメのキャラクターになりきる「版権チャ」、創作キャラクターで同様のことを行う「オリチャ」、成人向けセクシャル・ロールプレイを主眼とする「イメチャ」、そして、そして『D&D』系の紙とペンによるRPGをそのまま行うPBC（Play by Chat）である。それらが緩くクロスオーヴァーしながら、総体として「なりきりチャット」の文化圏を発展させていった。あくまでも参加者の自発的努力によって成り立つヴァーチャル・ワールドなので、直接メタヴァースに連なるようなものではないが、会話と行動の分離が様式化されていたり、プレイを通してコモンセンスが形成される面があったりと、意外にMUDに通じる要素があったのは事実である。現象面から捉えるなら、プログラムやパラメータによる制約を必要としない、人力駆動のMUDであるとも言えるだろう。チャット・ルームひとつでMUD的な場を作り出していた日本人の心性は、それ自体興味深い考察対象である。それがあればこそ『リリイ・シュシュのすべて』（2000）のような読者参加型小説も生まれ得たのだろうから。

ハック&スラッシュの復権

数あるMUDヴァリアントのなかでも、特に人気が高かったもののひとつに、デンマーク生まれの『DikuMUD』（1991）がある。これはコミュニケーションよりも戦闘行為を楽しませる、俗にいう

「ハック&スラッシュ」式のチューニングを施したものである。遡ればかつてのPLATOのRPGもハック&スラッシュであり、コンピュータRPGのあり方としては、この時点ですでに古臭いものと考えられていた（『DikuMUD』の開発陣からして「古典のリヴァイヴァル」と称している）。しかしその中に「社会」の要素をうまく組み込んでみせたところが巧みだった。たとえば各プレイヤー・キャラクターには攻撃専門、防御専門、回復専門といった役割分担があり、パーティを組んで共闘しないと戦いは厳しいものになる。このこと自体は『D&D』からある古風な伝統だが、『DikuMUD』にはキャラクターたちの血盟（クラン）があり、しばしば血盟どうしの抗争が起きたりもする。また強敵を倒せという課題（クエスト）が時折発生し、最大数十人にも及ぶ大規模集団（レイド）を組織して、一致団結して強敵に臨むこともある。課題を果たしたならレア・アイテムを入手できる可能性があり、それを装備してさらなる強敵に挑んでいく。ゲーム進行はややルーチンワーク的であり、世界を自由に生きることのできた原初のMUDの楽しみ方からは遠ざかることになる。しかし戦闘という共通目的のもとに結束したプレイヤー社会の構築は、ゲームへの没入度を中毒的なまでに高めることになった。魅せられたプレイヤーは数知れず、90年代に稼働したMUDは実に60%が『DikuMUD』またはその変種だったと言われている。やがてこの系統もグラフィカルMUD化を遂げていき、それは大規模マルチプレイヤー・オンラインRPG（以下「MMORPG」）という新しいジャンルにも顕著な影響を及ぼしていく。

MMORPGの胎動とRMTの誕生

ここで舞台は韓国に移る。韓国はアジアでもっともMUDが盛んに遊ばれた国なのだが、その人気に火を点けたのは映画『ジュラシックパーク』の名を借りた『DikuMUD』ヴァリアントだった。韓国初の商用MUDのひとつとして、1994年に登場したものである。その開発者は続いて人気コミックスを原作とするグラフィカルMUD『風の王国』の制作に着手した。『DikuMUD』ライクなシステムにスーパーファミコンRPG的な見下ろし視点のインターフェイスを導入したこの作品は1996年に登場するが、先進的すぎてどうプレイしてよいか分からないプレイヤーが続出し、当初はアヴァター・チャット扱いされていたという。真価が理解されるまでには数年を要したが、結果的に『風の王国』もまた成功を収め、海外進出をも果たしている。韓国では現在もなおサーヴィスを継続しており、しばしば世界最長寿のMMORPGとも言われる。

『風の王国』と同年には、アメリカにおいてリアルタイム型ハック&スラッシュという新様式を確立した大ヒットRPG『ディアブロ』（1996）が登場している。『風の王国』の開発者はこれに大きな影響を受けながら、爆発的ヒット作となるMMORPG『リネージュ』（1998）を世に送り出した。『ディアブロ』はシングル〜少人数プレイ用ながら、レア・アイテム収集の中毒性をかつてなく高めたゲームである。その要素は『リネージュ』にも色濃く受け継がれた。しかしこのような中毒性の導入は、MMORPGにとっては劇薬となりうる。価値の高いレア・アイテムの収集には時間がかかるわけだが、人によっては、その時間を金で買えるなら買いたいと考える。つまりプレイヤーどうしがゲーム内アイテムの現金取引を行う「リアルマネー・トレーディング」（以下RMT）の強い誘惑が発生するのである。

RMTそのものは1980年代から存在し、一部のMUDでも行われていたが、それまではひっそりした目立たない行為だった。『リネージュ』は後述する『ウルティマ・オンライン』と共に、RMTを顕在化させた最初のゲームとなったばかりか、RMTにまつわる詐欺やハッキング行為も誘発し、金銭面から現実とヴァーチャル・ワールドの垣根を揺さぶったのである。

『ウルティマ・オンライン』

順番が前後するが、MMORPGというジャンルの存在を世に知らしめたのは『ウルティマ・オンライン』（1997）である。このゲームが後世に与えた影響は計り知れないが、その開発はパソコン・ゲーム黎明期から続くシングルプレイRPG『ウルティマ』シリーズの世界をグラフィカルMUD化することからはじまった。開発スタッフの数名はMUD開発経験者であり、その頃一部のMUDが試行していた実験的要素を『ウルティマ・オンライン』にも取り込んでいる。たとえば経験値やレベルアップといった概念をなくして、成長要素を各種スキルの成熟に一本化したところや、自律的に機能する経済システムを準備したところなどである。この世界で売られているものは基本的に、プレイヤーの誰かが集めた原料を、別の誰かが精錬し、さらに別の誰かが加工したものであり、その価格は需給バランスによって決まる。『ウルティマ・オンライン』はこうしたリアル・ワールド志向を徹底し、生態系までもが自律的に駆動する「ワールド・シミュレータ」であろうとした。

キャラクターの人生もまた、何者にも左右されない。自分の責任において何をやってもいいし、何もしなくてもいい。そのような自由のもと、数万～数十万人の人々に解放された『ウルティマ・オンライン』は、かつての『ハビタット』と同様に、何が起きるか予想のつかない世界になった。ベータ・テストの最初期には、殺戮と破壊による大混乱が起きたという。しかしやがてMUD経験のあるプレイヤーたちが中心になって、そのなかに社会的秩序を構築しはじめ、やはりある種の自治が行われるようになった。だがそれでもトラブルは絶えなかった。その自由度の高さ（と低予算ゆえのバグの多さ）のため、運営サイドが予期しないような「反社会的行動」はしょっちゅう起こった。PvPの組織化、不正なRMT、ヴァーチャル売春、トロール行為、そして運営に対する集団抗議行動。のちのMMORPGで起きたさまざまな問題は、たいてい既に『ウルティマ・オンライン』で起きていたといっても過言ではない。運営サイドはこれらを規制したいという気持ちと、ゲームゆえの自由度を守りたいという気持ちの板挟みになった。「もはや我々はゲームではなく、ひとつの社会を運営している」とさえ、彼らは感じていたという。その意味で、これはもうかなりメタヴァースに近い次元に到達していたといえるだろう。

ハック&スラッシュの定式化

『ウルティマ・オンライン』が志向した「なんでもあり」の自由さは、現在では「サンドボックス」と形容される。だが、この方向性で成功したMMORPGは、他には『EVE Online』（2003）など数えるほどしかない。MMORPGの本流に君臨したのは、結局のところハック&スラッシュだった。韓国では前述の『リネージュ』が、欧米では『エバークエスト』（1999）が、その流れを決定づけた。『エバークエスト』は三人称の3D表示で成功を収めた最初のMMORPGだが、根幹となるシステムはやはり『DikuMUD』を踏襲している（あまりにも似すぎているためコードの流用が疑われたほどである）。そしてこれもやはり極めて高い中毒性を発揮するとともに、RMTを過熱させた。

ゲーム・プレイそのものよりRMTでのビジネスを目的とする主客転倒の業者が、この頃から増加するようになった。しかし『エバークエスト』は規約としてRMTを禁止し、オークションへの出品を差し止めるなど、徹底した措置を講じている。本作以降、欧米や日本では運営サイドの管理するシステムでのみRMTを許可するケースが一般化し、RMTはある程度抑制されたものになった。対照的に韓国では、表向き規約で禁止していても管理外のRMTを黙認するケースが常態化し、RMTは巨大市場に発展した。

MMORPGにおけるRMTの本質的な問題点は、ロールプレイを徹底的に遠ざけてしまうことにある。労働者と化したRMT業者に「もうひとりの自分」は宿らない。そればかりか、業者の使役するボットの無慈悲で機械的な行動は、ヴァーチャル・ワールドの魅力そのものを低下させる。しかし一方で「より強くなりたい」という願望がつきまとうハック&スラッシュのようなゲームにおいて、お金を時間に替えたいという誘惑は根絶しがたいものである。つきつめて考えれば、ハック&スラッシュという形式それ自体が、現実生活とロールプレイを秤にかける二律背反性を内在させているといえる。

『リネージュ』と『エバークエスト』に共通するもうひとつの要素として、ネット・ゲームの悪影響を社会問題化させたことが挙げられる。『エバークエスト』は長時間の没頭から社会生活の放棄に至るネット・ゲーム廃人を数多く生んでしまった。『リネージュ』はゲーム世界内のいざこざから現実社会の暴力事件へと発展するケースを多発させてしまった。両者は中毒性という側面から、現実世界とヴァーチャル・ワールドの境界問題を一層複雑なものにしたのである。

MMORPGの限界

『エバークエスト』が改めて提示した『DikuMUD』型システムは、後続のMMORPGに決定的な影響を及ぼした。00年代初頭には『エバークエスト』のシステムに倣った作品が数多く登場し、以降それらがこのジャンルの基本スタイルを形作ったのである。韓国では『リネージュ2』（2004）が、日本では『ファイナルファンタジーXI』（2002）が、そして欧米では『ワールド・オブ・ウォークラフト』（2004）が、それぞれ本家『エバークエスト』を凌ぐ成功を収めた。

だがMMORPGのシステム面における進化は、ここで停滞を迎えることになる。これ以降、20年近くにわたって、MMORPGには大きなパラダイム変化が起きていないのである。役割分担なしには進めない『DikuMUD』様式はさすがに過去のものになりつつあるが、システムの根本はいぜんハック&スラッシュが基本である。

メタヴァース論の観点からいえば、現在論じられるメタヴァースのあり方に近いのは間違いなくサンドボックスのほうだろう。しかしもはやMMORPGの本流がサンドボックスに回帰していく未来は考えにくい（『ウルティマ・オンライン』さえその後いくらかハック＆スラッシュ寄りに変質しているくらいだ）。いっぽうでサンドボックスは『マインクラフト』（２０１１）の大ヒットが示すようにＭＭＯＲＰＧの外側では人気ジャンルとなっている。アヴァター・チャットにせよハック＆スラッシュにせよ、ヴァーチャル・ワールドへの没入は何らかの自己実現への期待によって支えられている。かつてサンドボックスの自由さそれ自体は、自己実現の前提であって手段にはなりにくいものだった。しかし現代におけるサンドボックスの自由さはしばしばヴァーチャル・ワールド内外の境界を超える形での自己実現を可能にする。動画サイトやSNSを通じてワールド内での体験を楽しませる行為も、アプリケーションの外側でユーザー生成コンテンツを製作することのできるサーヴィスも、もはや珍しくはない。メタヴァースの先駆としてＭＵＤやＭＭＯＲＰＧが残したさまざまな資産と教訓は、将来的にこうした別の土壌に受け継がれていくことになるのかもしれない。

そして『セカンドライフ』へ

ここまでお読みの皆様は、２０００年代のメタヴァース・ブームを牽引した『セカンドライフ』が決して前代未聞の新発明だったわけではなく、さまざまな先例に見られるアイデアを引き寄せ、巧みに発展させ、全体として新しい体験に昇華させたものだったことにお気付きだろう。自然法則を織り込んだワールド・シミュレーションは『ウルティマ・オンライン』が、都市設計や企業誘致は『アクティヴワールズ』が、ユーザー生成コンテンツの売買やゲーム内通貨の現金購入は『There』（２００３）が、先もって実現していたことである。つまり『セカンドライフ』はメタヴァースに必要なものを入念に見極めていたわけである。それにもかかわらず失敗したのはなぜなのか——と問いたくなるかもしれないが、実態として『セカンドライフ』は失敗していない。２０１０年代の低迷はヴァーチャル・ワールドへの企業誘致を巡る一種のバブル崩壊であり、世界の設計や運営方法に問題を抱えていたわけではない。それゆえ現在なお20万人以上のアクティヴ・ユーザーが、自律的な経済活動を行い続けているのである。世界がいま確実に『セカンドライフ』を再評価する方向へとむかっているのは、その中に歴史的な蓄積があることと無関係ではないだろう。『D&D』から『セカンドライフ』へと至る道筋のなかに、メタヴァース時代のヒントはきっと隠されているはずである。

COLUMN

『竜とそばかすの姫』と日本的メタヴァース

藤田直哉

藤田直哉（ふじた・なおや）
１９８３年札幌生まれ。批評家。日本映画大学准教授。東京工業大学社会理工学研究科価値システム専攻修了。博士（学術）。著書に『シン・エヴァンゲリオン論』（河出書房新社）、『娯楽としての炎上』（南雲堂）、『虚構内存在：筒井康隆と〈新しい《生》の次元〉』、『シン・ゴジラ論』（いずれも作品社）、『新世紀ゾンビ論』（筑摩書房）、編著に『地域アート』（堀之内出版）などがある。朝日新聞で「ネット方面見聞録」連載中。

メタヴァースとは、ユニヴァース（この宇宙）のuni（一つ）の代わりにmeta（超えた、高次元の、外側の）を付け加えた造語で、ＳＦ作家のニール・スティーヴンスンが『スノウ・クラッシュ』で用いたのが初出だと言われている。

一般的に、メタヴァースと言えば、３Ｄの空間の中で、仮

『竜とそばかすの姫』7月16日（金）より全国公開中

想のアヴァターを用いるものがイメージされる。現在でもVRChatや、メタヴァース空間でのライヴなどは既に行われており、新型コロナウイルスにより直接的に人が会えなくなったアフター・コロナの世界において、大いに発展しそうな領域である。

本論は、そんなメタヴァースの背景にある思想や哲学のようなものについて、『竜とそばかすの姫』に触れつつ、少しばかり検討する。「思想」や「哲学」と言うと大仰だが、この世界とは何か、人類は何のために存在するのか、などに関して、無意識的・意識的な了解のようなものは文化的に共有されていることが多い。それが人々の行動や価値観に大きく影響する。シリコンバレーがあれほどＩＴで発達し、日本ではさほどでもないのも、このような宗教的な伝統が関係していると思われる。現実空間ではない抽象的な空間を作り出すことへの意気込みというか、意味付けが大いに違うのではないかと推測されるのだ。

メタ＝超越、高次の宇宙？

メタヴァースの「メタ」には、高次の、超越した、次元を超えた、という意味がある。士郎正宗のマンガ『攻殻機動隊』には、コンピュータとインターネットの発展で、「情報」という抽象的な次元を生命が獲得し、新しく進化していくのだ、新しい世界が生まれたのだ、という興奮が描き込まれていた。

しかし、インターネットも普及し日常化した現在では、もはやそこまでのロマンを感じる者は稀だろう。現実の日本のインターネットは、ユーザーレベルでは、コミュニケーションのための装置に過ぎない。そこに「生命史・人類史の中で、情報という抽象的な空間の次元へと高度化していった」ことへの興奮や驚きを感じる人はほぼいないだろう。メタヴァースという言葉の中には、宇宙それ自身が、その宇宙の中に新しい抽象的な宇宙を生み出したことへの驚きも含まれているように思うが、その感覚もまず覚える人間はいないだろう。

細田守監督のアニメーション映画『竜とそばかすの姫』は、そのような現代において、メタヴァース＝ネット空間へのワクワク感をどのように調達するのかを一つの課題とした作品であったと見做せる。

そもそも論になるが、メタ的な、この生身で生きている現実世界ではなく、より高度な抽象的な世界に憧れる心理そのものは、紀元前四〇〇年頃には確認できる。西洋哲学の基礎

となった人物の一人・ソクラテスは、イデアという抽象的な理念こそが「真」であり、この人々が生きている現実世界は「影」だとした。これは哲学だが、日本でもアニメやゲーム、VRChatなどは類似の願望の受け皿になる。たとえば、生物的な性と心の性が異なっている場合、この「肉体」こそが虚偽であり、自由になりたい身体になれるメタヴァースこそが「真」であると感じやすいだろう。現実世界でいじめられている者にとっては、敵をバッタバッタと薙ぎ倒す世界こそが「真」の世界だと感じられるだろうし、異性の愛に恵まれない者にとっては恋愛ゲームや二次元の存在こそが「真」の——と言って悪ければ、理想（イデア）の存在であるように感じられるだろう。人はこのような倒錯をしてしまいやすく、しかし単なる倒錯と言い捨てるわけにもいかない部分もある。たとえば、我々はどうしたって邪悪で暴力的な現実に対して「正義」という理念や理想を求めてしまう。それは現実ではない「理想」に過ぎないだろうが、そうやって人類史は発展してきて、良くなってきたことも事実だからだ。

現実の身体や社会を忌避する傾向に対して

日本のオタク文化には、そのような「理想」の世界、現実を超えた「イデア」の世界のようなものとして機能してきた部分がある。そして、日本ではインターネットやメタヴァースに対しても、このようなアニメ・マンガ・ゲームのような虚構世界のアナロジーで接する傾向がある。『竜とそばかすの姫』は、このことを前提として理解されるべきであり、その観点から見た方が、本作が引き受けようとしたものが何なのかがよく分かる。

『竜とそばかすの姫』の主人公すずは、いわば冴えない「陰キャ」で、歌もうまく歌えないが、メタヴァース内では美しい容姿で歌もうまく、人々に喝采される「ベル」になる。日本風の容姿のすずと、西洋風の容姿と名前のベルの対比に、西洋人に憧れ自身の日本人性を隠蔽してきた戦後日本のアニメーション特有のアイデンティティの捩じれを見てもいい。理想の身体を手に入れて、歌で世界にチヤホヤされるというのは、多くのYouTuberやアイドル志望者の夢にも通じているだろう。一方、メタヴァース内で無双をしている登場人物の一人は、現実では虐待を受けている。

メタヴァース、あるいはオタク文化は、現実逃避的で自己慰撫的な逃げ場になりがちである。それは人を勘違いさせ、実際の生をより貧しくさせることもある。しかし、それを求めざるを得ない人もいる。このような葛藤の中で、アニメーションそのものの存在意義を問うている部分が、細田作品にはある。

たとえば『未来のミライ』は、社会で活躍することによって余裕をなくした母親に冷たく当たられる男の子を描いていた。そこで、疎外され退屈した彼の心を救うものとして、ファンタジー=アニメーションを機能させていた。これは、アニメーションの存在意義についての自己言及だろう。『バケモノの子』の渋天街もアニメーション世界や、インターネットの寓意と見ることもできるだろう。

『竜とそばかすの姫』において、アニメーション=メタヴァースの現実逃避的な機能は両義性のあるものとして描かれる。それがなければ生きられない人もいるし、それによってこそ才能が開花する人もいるし、誰かが救われることもある。

そして重要なのは、メタヴァースの中で完結して「現実」や「社会」を捨てるのではなく、むしろそこに回帰する作りにしているところだろう。そこに本作の重要なメッセージがある。

土着、親族、社会の関係性の中に織り込まれたメタヴァース

『竜とそばかすの姫』ですず=ベルが歌の才能を発揮できたのは、母親が音楽に関わっていたからであり、母親亡き後に支えてきたのがその音楽仲間たちだったからである。生活を支えてきたのは父親である。家族や地域、友人たちに支えられることで自分があったことを理解できるようなこの作劇のメッセージは、明白であろう。様々なつながりが、悪いものではないこと、ヴァーチャルな世界で活躍するための基盤としてもそれが重要であることを伝えようとしているのだ。

多くの人々に現実で助けられていることを知ったすずが、メタヴァースの中で知り合った者を現実世界で助けようという流れになることも見逃せない。ハグをし、身体を張って虐待の暴力を止めるというクライマックスは、現実からメタヴァースに行き、超越するのではなく、メタヴァースからこの現実に折り返され、身体的な存在として、人や生命を愛することの重要性を訴えかけているようではないか。

メタヴァースとは、現実世界、この宇宙を「超える」ものだ。だが、実際のネット世界を経験した我々は、意識や精神は一時的に現実を「超えた」気になるものの、身体や社会、家族や親族や歴史の拘束からは決して自由になれないことを思い知っている。我々は、意識や気分の中で、一時的に自由に超越的な存在になれるが、結局のところ、この現実世界、社会、親族、家族などのネットワークの中に埋め込まれていることを認めるしかないのだ。

細田守は、『サマーウォーズ』の頃から、メタヴァース＝ネット的な世界への超越ではなく、それが、日本の土着的な世界に折り重なって来ざるを得ないという認識に鋭敏であり、そこでどのような折衷が可能なのかを模索してきたアニメーション作家なのであった。

仮想現実が現実を上回った時代に、どうやって生の実感を取り戻すのか

『竜とそばかすの姫』の結末で、すずが、身を張って生命を守ろうとする箇所は、かつて細田が『ハウルの動く城』の監督に抜擢されていたことを思い出すと、宮崎駿の思想を継いでいるようにも感じられた。『風の谷のナウシカ』で、ナウシカが王蟲の子供を身を張って守ろうとしたシーンを個人的には思い出した。

宮崎駿は、自然や生命の活き活きした姿を重視する作家だが、一九九八年にこのように言っている。「仮想現実のほうが、現実を上回った」時代に、生きている実感を「どうやって取り返すのかという課題を、日本は、丸ごと、民族ごと背負っているんだよ」（『宮崎駿と庵野秀明』22頁）と。『サマーウォーズ』や『竜とそばかすの姫』は、その課題への細田守の回答であるようにも感じる。

日本の土着的で伝統的な地域を舞台に、そこにおける様々な関係性のネットワークの中に、メタヴァース＝仮想世界を位置付け直すこと。細田守が、『サマーウォーズ』以降の作品で手探りしていたのは、要するにこれなのではないのだろうか。

細田守が描いてきたのは日本的メタヴァースなのだ。超越するのではなく、歴史や土着性を引き受け、先祖や地域社会などの織り成す複雑な関係性の中にメタヴァースを位置付けようとすることは、細田自身のアニメーションやオタク文化への願いであり、同時に「超越」「理想」を志向し現実や他

者や社会を忌避してしまう傾向への批判でもあろう。いわばメタヴァースを、超越的・高次元的な位置から引きずり下ろし、それ自体を関係論的な存在に過ぎないのだと言おうとしているかのようである。

その背景に、大きな宗教観の違いを見てもいいだろう。一神教は「超越」の宗教であり、外部にいる神が宇宙や人間を作ったと考えているが、日本神話は「内在」であり、世界も生命もその辺から勝手に自然に生まれてきたと考えている。この世界よりも上位の「神」的な次元を想定せず、この世界そのものが唯一であると考える傾向が日本思想にはある（仏教哲学にも、言葉や概念が「この世界」よりも上だと考える傾向を強く諌める部分がある）。抽象的な世界こそがより神に近いと感じやすい一神教の世界とは、おそらく文化的感性が異なっているのだ。

宮崎駿は、第二次世界大戦後の、アメリカ化し、科学技術立国化した日本においてアニミズムや自然信仰の感覚をいかにアップデートするかを模索し、作品化してきた作家である。それと対比させて言うならば、細田守は日本における文化的風土や思想的伝統の中にメタヴァースを咀嚼し、どのように適合させていくのかを模索し、創造してきた作家であると言えるのではないか。両者とも、新しい物事と古くから続く物事をなんとかして折衷しようとし、必要な新しい価値観や生き方やイメージを創造し、私たちに提案してくれている、稀有な作家である。

『竜とそばかすの姫』予告2
https://www.youtube.com/watch?v=KNynvdKvLc8

how-to

文＝編集部

実際にメタヴァースを体験してみよう②
オンライン・ゲーム／ゲーム型コンテンツ編

Fortnite

https://www.epicgames.com/fortnite/ja/home
対応機種：Windows、PS4、PS5、Xbox One、Xbox Series X/S、Switch

＊ 以前はMacおよびiOS／Androidにも対応していましたが、現在はアップルとグーグルの両ストアページから削除されています。

フォートナイト チャプター2 - シーズン8 バトルパス トレーラー
https://www.youtube.com/watch?v=0X1avrDyH6g

ここでは「メタヴァース」をすでに実現しているものと捉え、いま注目のプラットフォーム／サーヴィスを紹介します。①に続いて今回は、オンライン・ゲーム／ゲーム型コンテンツ編。

米エピック・ゲームズ社が運営する2017年公開のTPS（サードパースン・シューター）ゲーム『フォートナイト』は、登録者数3億5000万以上、同時接続者数1000万以上を達成した巨大タイトル。シューティング要素のみならず、サンドボックス（特に課題がなく、自由に何をしてもいいゲーム）の要素も持っています。著名アーティストがライヴをしたことも大きな話題になりました。詳しくは本誌掲載の宇川直宏（p.26）および今井晋（p.71）のインタヴューを参照。VRヘッドセットは不要です。

Roblox

https://corp.roblox.com/ja/
対応機種：Windows、Mac、Xbox One、iOS、Android、Fire OS (Amazon)

Roblox ¦ Official Trailer (2020)
https://www.youtube.com/watch?v= eAvXhNIO-rA

「ゲーム版YouTube」として、主に13歳未満の子どもたちの間で圧倒的人気を誇るのが、ゲーム型コンテンツ／プラットフォームの『ロブロックス』です。レゴのようなアヴァターが特徴で、他の人がつくった既存のゲームで遊んだり、自分でもゲームをつくったりすることができます。その数なんと数千万以上、月間アクティヴ・ユーザーは1億6000万を超えています。教育現場でも使用されています。VRヘッドセットは不要です。

他にも、MMORPGではスクウェア・エニックスの『ファイナルファンタジーXIV』、サンドボックスではインディ発（現マイクロソフト）の『マインクラフト』、任天堂の『あつまれ どうぶつの森』といったゲームがメタヴァースの文脈で注目されています。こちらも気になる方は検索を。

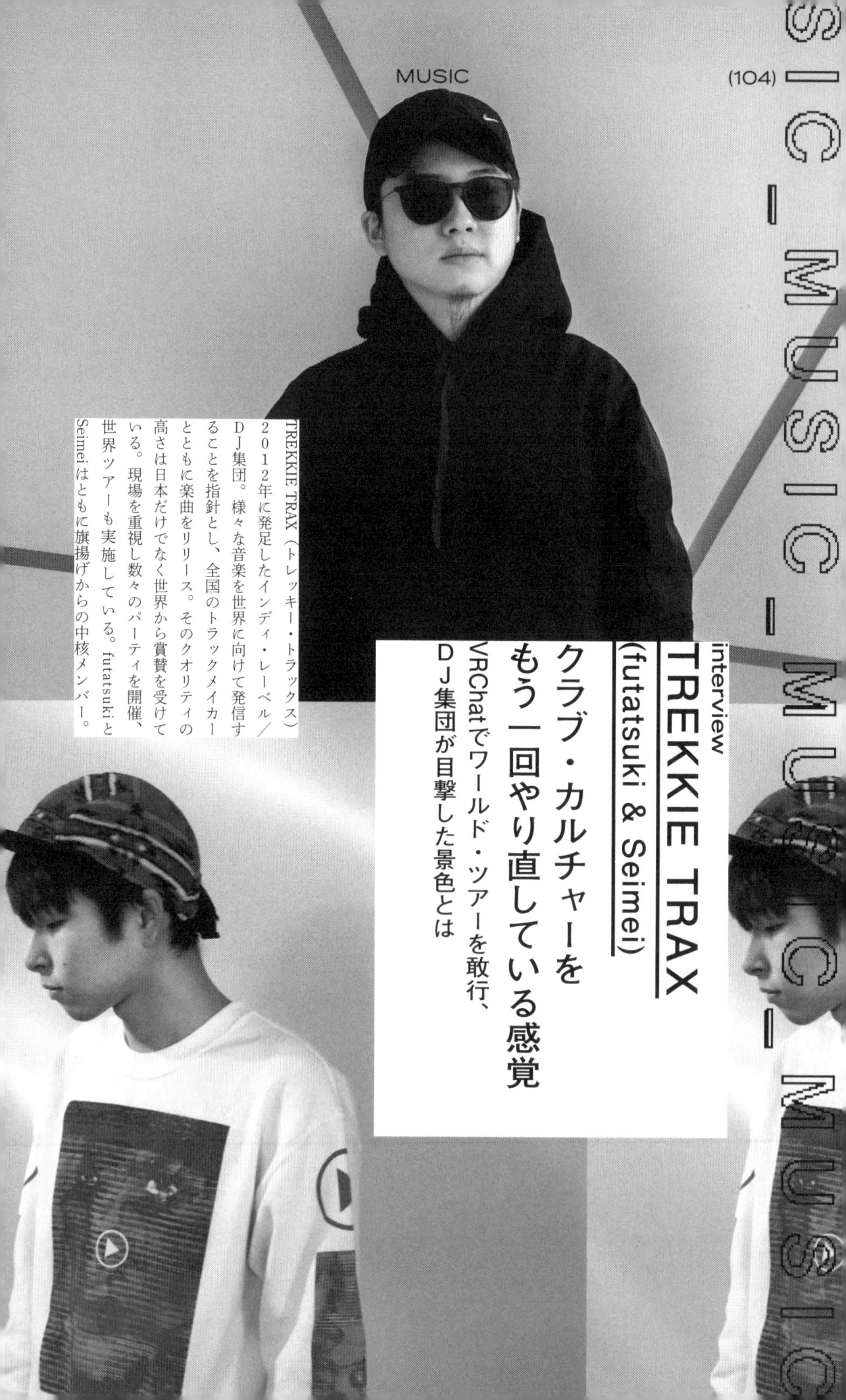

interview

TREKKIE TRAX (futatsuki & Seimei)

クラブ・カルチャーをもう一回やり直している感覚

VRChatでワールド・ツアーを敢行、DJ集団が目撃した景色とは

TREKKIE TRAX（トレッキー・トラックス）
２０１２年に発足したインディ・レーベル／ＤＪ集団。様々な音楽を世界に向けて発信することを指針とし、全国のトラックメイカーとともに楽曲をリリース。そのクオリティの高さは日本だけでなく世界から賞賛を受けている。現場を重視し数々のパーティを開催、世界ツアーも実施している。futatsukiとSeimeiはともに旗揚げからの中核メンバー。

パンデミックにより音楽業界、とりわけライヴ事業は甚大なダメージを受けている。打開策の一案として配信ライヴに注目が集まっているが、同様に人と人とが物理的に接触するわけではないメタヴァースは今後、音楽にどのような影響を及ぼすのだろうか？　メタヴァースに最も近いサーヴィスのひとつにVRChatがある。同名のアメリカの企業によって運営されるこのプラットフォームでは、VR空間内にアヴァターとしてログインすると、他の人とコミュニケイションをとることができる。そのVRChatのシンプルな仕組みとそこですでに形成されているコミュニティを活用し、仮想空間内でワールド・ツアーを敢行したのが、東京のDJクルー／レーベルのTREKKIE TRAXだ。手探りの状態からはじまった彼らの野心的な試みは、今後の音楽のあり方を考えるうえで大きなヒントとなるに違いない。

コロナで知ったVRChatの世界

——まずはVRChatでワールド・ツアーをすることになった経緯をお聞かせください。

futatsuki（以下F） 背景からお話ししておくと、TREKKIE TRAXは年間を通して様々なパーティをおこなっているのですが、毎年、周年のパーティにすごく力を入れてきました。2019年の7周年のときは、STUDIO COASTのイヴェントageHaをTREKKIE TRAXでプロデュースしたり、海外の大型フェスティヴァルでヘッドライナーを務めているような外タレも呼んだり。でも2020年はコロナの影響で8周年イヴェントができなかったんです。なんとか配信イヴェントはやろうということで、Twitchを使ってレーベルのショウケース的なことを何回かやりました。もともとぼくたちが遊んでいたLOUNGE NEO、clubasiaやMOGRAといったクラブも配信パーティをやっていて、けっこう賑わっていましたね。去年の後半くらいからは少し状況が良くなったので、現場に戻っていった感じでした。とはいえ……TREKKIE TRAXの名を冠したパーティはコロナ前までは二ヶ月に一度くらいのペースでやっていたんですが、やはりいまそういうパーティを現場でやるのはリスキーです。レーベルの名前でお客さんを集める以上、安全が確保できないと多方面に迷惑をかけることになる。それでここ1年くらいはTREKKIE TRAXの名を冠したパーティは封印していたんです。もちろんSeimei、Carpainterやandrew、レーベルに近いアーティストたちが個人としてDJ出演し、ぼくらのパーティと近い空気になるということはあったのですが。そんななか、今年の周年はどうしようと。

——メイン事業なわけですもんね。

F また配信でやっても盛り上がらないでしょうし。配信は、みんなが現場にいるわけではないのでなかなかパーティ感が醸成されないんです。それに、どうしても視聴者数やコメント数に左右されてしまう。実際のパーティであれば、フロアに10人いて盛り上がっていたら、全体のお客さんの数とは関係なく「今日、超楽しかったよね」となるんですが、配信だとそうはいかない。それで悩んでいたときに、古くからぼくらをサポートしてくれていたHirokiさんという方がたまたまOculus Quest 2を買って、「VRChatヤバいよ」とプレゼンしてくれたんです。「一度やってみないとわからないから」とのことだったので、ぼくとSeimeiと数人で体験してみました。すでにVRChat内でDJのコミュニティやパーティがあって、もともとぼくらが知っていた人たちもいました。そうやってVRChat内のクラブを何軒かまわってみた体験が

想像以上に良かったんですよね。ぼくらがずっと現実でやってきたクラビングに近いものがそこにあった。それで今年2021年の9周年イヴェントは、VRChat上でツアーをしようということになったんです。VRChatを使うのは、ぼくら全員、今回が初めてでした。メンバーの誰かがすでにやっていてハマっていたというわけではないんです。

Seimei（以下S） ポーター・ロビンソンがやっているフェスがあるんですが、19年は普通にリアルで開催して、20年はコロナだったので配信でやっていました。それで今年21年は配信とVRでやったんです。それはVRChatとはまた別のヴァーチャル空間のシステムを使ったものなんですが、そういうテクノロジーを使えばオーディエンスと時間をシェアできる。それは普通の配信イヴェントではできないことで、リアルの現場の感覚に近いなと思いました。それをTREKKIE TRAXでもやりたいなと。

――VRChatってどういうものなんですか？

F まず、それなりにスペックの高いウィンドウズのゲーミングPCが必要です。かつ、Oculus Quest 2やVIVEのようなヘッドマウント・ディスプレイを用意する必要があります。だから初期投資にはお金がかかるんですが、そこさえ突破すれば、たとえば月額の費用がかかったりするわけではないので、基本的に無料でずっと遊べるサーヴィスですね。VRChat内では「ワールド」というのが単位になっています。庭みたいなものとイメージしてもらえばいいでしょうか、その「ワールド」が何万個も無限にあり、ワールドごとに遊べる内容が違う。シューティング・ゲームをするワールドではシューティングが楽しめる。プールのワールド、神社のワールドとか……渋谷の街が再現されたワールドもありました。

S　山手線のワールドもありましたね。駅で降りられるわけではなく、ずっと電車のなかをぐるぐる走りまわるワールド。とくにやれることはない（笑）。ただ、たとえばそのワールドを作成した人にお願いして、そのワールドを編集してＤＪブースを置けるようにしてもらえれば、山手線でイヴェントをやることも可能性としてはありえる、という感じですね。

F　重要なのは、そういうワールドをVRChat社がつくっているわけではないというところです。ユーザーがつくっているんですよ。みんなが思い思いに自分たちのつくりたいワールドをつくってそこで遊ぶ、というのがVRChatですね。

S　VRChatが人気の理由は、制限があまりないからみたいですね。好きなワールドをつくれるし、アヴァターもほかのＶＲ系ＳＮＳと違って制限がない。さすがに規約で禁止されていることもありますけど、基本的にはなにをつくってもいい。

F　コミュニティもVRChat社が主導しているわけではなくて、あくまでユーザーがコミュニティを形成することで成り立っているサーヴィスですね。ちなみにVRChat社はアメリカの企業なので、VRChatには世界じゅうのいろんな人がアクセスしています。なので日本人はどちらかというとマイノリティになります。

――そういう仮想空間内で、クラブのワールドをつくっている人たちがいた、と。

F　数年前までは片手で数えるくらいしかなかったみたいなんですけど、コロナの影響でＶＲをはじめた人がめちゃくちゃ増えて、結果クラブもすごく増えました。精力的に活動している人でもわからないぐらいの数のクラブがあるみたいです。ぼくたちが観測できているのも日本のコミュニティと、ぼくらとつながりのある海外のコミュニティだけなので、知らないコミュニティやクラブが無数にあるのではないかと思います。

現実のクラブとの相違

——入場料みたいなものはあるのですか？

F 現時点では収益性というか、金銭のやりとりはありません。基本ヴォランティアですね。なので、「コミュニティを盛り上げたい」とか「とにかく遊びたい」みたいな動機で発展していっているのがVRChatです。VRChat内のパーティでお金をとっているところはないようです。VRChatを使える人は、基本的にはどんなパーティにも行けます。

——その話を聞くと、初期のクラブ・カルチャーに近いのかなと思いました。ぼくは体験できなかった世代ですが、商業化される以前の、いまのように高い入場料を払って有名ＤＪに殺到して、というのではなく、ダンス・ミュージックが好きな仲間やその周辺の人たちで楽しくやっていた時代の。

F やはり、自分たちでつくりあげていく感じが強いですね。ワールドには2パターンあって、オープンでパブリックなワールドと、クローズドなワールドがあるんです。後者は、主催者の友人しか入れない。ワールドに入ることを「ジョイン」と言うのですが、ジョインできる人間が限られているのがクローズドなワールドです。だから、なんのツテもなくVRChatをはじめた人は、クラブに行っている人と知り合ってコミュニティを紹介してもらわないと、クラブに行けなかったみたいです。でもそれも、クローズドな森のなかのレイヴの感じがありますよね。「みんなでフェス行こうぜー」というパブリックなノリではない。

——そういったVRChat内のクラブ・シーンに、リアルで活動するTREKKIE TRAXが参入していった。

普段リアルのTREKKIE TRAXのパーティに来ている人たちがいるとは思えないのに、本当にclubasiaでＤＪしているときと同じ現象が起こった。これは配信のイヴェントでは絶対にできない体験でしたね。(futatsuki)

F ——最初は迷いもありました。VRChatの既存のDJやコミュニティが頑張って盛り上げようとしているところに、ぼくらのようなVRChat未経験の、リアルで精力的に活動しているDJ集団が入っていってパーティをやることで、「文化の盗用」のようになってしまわないかと。結果的には否定的な反応はなくて良かったのですが。

——具体的にはどういうプロセスで実現させていったんですか?

F ——ぼくたちにVRChatを紹介してくれたHirokiさんと、ポール・マントンという、アメリカ人でTREKKIE TRAXの熱狂的なファンの方がいるんです。彼らはVRChatで精力的に活動をしていて。そのふたりのおかげで、今回ツアーを実現することができました。VRの調整は彼らが、ぼくらはリアル側の調整をした感じですね。すでにVRChatをやっていた方にも出演してもらいました。2トーンディスコ(2TONEDISCO)はもともとリアルで面識のあったLAの人で、VRChat内でも名のあるクラブを主宰していた方。オーストラリアのヴェラティックス(Velatix)も、これまでもリアルで開催しているぼくらのパーティに出てもらっていて、彼もVRChat内で有名なクラブのオウナーだった。その縁もあって、今回のツアーは彼らのクラブを使っておこなうことになりました。

——LA公演、オーストラリア公演、日本公演と、三ヶ所をまわったんです

9周年パーティの様子　画像提供:じょせふ(@josephlic)

よね。

F――TREKKIE TRAXはこれまでリアルで世界じゅうをまわっていたんですが、コロナで移動できなくなってしまった。そこで、VRChat上の「ワールド」とリアルのワールドをかけて、「ワールド・ツアー」をやることにしたんです。これなら世界じゅうのファンと会うことができるよね、と。アメリカ公演はLAのシェルター、オーストラリア公演はロナー、日本公演はclubasiaという、そもそも現実でTREKKIE TRAXとつながりのあるクラブでやりました。

――clubasiaがあるんですね。

F――リアルのclubasiaにそっくりなワールドがあるらしいという風の噂を聞いて。なんとかそれをつくっている方に出会うことができて、見せてもらったら本当にclubasiaそっくりなんです。TREKKIE TRAXはこれまでclubasiaやLOUNGE NEOとともに歩んできたから、すごくシナジーがあると思いました。それでリアルのclubasiaにもプレゼンして、VRChat内のそのclubasiaをオフィシャルなものにしてもらって、そこでやることになりました。コロナ禍という現在のシーンの状況も考えて、Twitchの配信で入ってくるドネーションや投げ銭はすべてclubasiaに寄付することにして。VRでパーティを盛り上げつつ、大切なリアルのクラブもサポートできれば、点と点がつ

再現されたclubasia　画像提供：よんま（@____404__）

ながってひとつの線になるんじゃないかなと思ってやっていきましたね。

――プレイする側の感覚としてはどうでした?

F リアルでTREKKIE TRAX CREWとしてDJするときは、オーディエンスが声を張り上げて暴れてめちゃくちゃになるんですけど、今回VRでもそうなったんです。それは感動的でした。VR内に普段リアルのTREKKIE TRAXのパーティに来ている人たちがいるとは思えないのに、本当にclubasiaでDJしているときと同じ現象が起こった。これは配信のイヴェントでは絶対にできない体験でしたね。

――YouTubeのティーザー映像を観たのですが、アヴァターは実際のTREKKIE TRAXの面々に近い造形でしたよね。

F ぼくたちはVRChatのシーンにコミットしていたわけではないというのがひとつと、あくまでTREKKIE TRAXでありたいというのが大きかったので、リアルに似せているんです。覆面DJでもないですしね。ちなみにVRChatにいる人たちは、美少女アヴァターばかりです。

――ははは。

S 日本は、基本そうですね(笑)。

F 海外はまた違うんですけどね。日本の人がつくったクラブに来ている人たちは95%くらい美少女です。まれに動物などのアヴァターもいますが。

――オーディエンスは踊るんですか?

F 踊りますね。Oculusのコントローラーを持っている手の位置って、VR上に反映されるんです。バンザイすればアヴァターもバンザイするし、Oculusを装着して歩けば、歩いていることをトラッキングしてくれるので、それもVR上に反映される。だから手を振ったり踊っているような感じで動けば、VR上もそういう感じになります。上級者には全身トラッキングをしている人もいます。普通のOculusだと手と頭の動きのみ反映されるんですが、お金があればさらに別の器具を増やして、腰や足にトラッカーをつけることもできる。フル・トラッキングというんですが、それをやっている人はVR上でもマジで踊っている人そのものになります。海外のクラブに行くような踊りガチ勢はそうですね。

S　面白いのが、DJブースの傍では、基本的にはみんな喋らないんです。そういうマナーがある。喋りたい人は後ろのバーカウンターに行く。そこもリアルのクラブに近い。

F　VRChatは自分の声がそのまま反映されるんですよね。チャットではなく、普通に喋れる。声の届く範囲も現実と似た距離感で、近くにいる人の声は大きく、遠くの人の声は聞こえにくい。リアルのクラブだと爆音だから、隣りの人に話しかけるのも大声になりますけど、VRChatだとリアルよりは声が通るので、音を楽しみたい人は喋らない、喋る人は遠くに離れるというルールが生まれているみたいですね。

S　現実のクラブといちばん似てるなと思ったのが、たとえばクラブで「今日、○○さん来てる?」みたいな話をしますよね。「さっき見かけたよ」「ちょっと話したいんだけど」「じゃ呼んでくるからお酒飲んで待ってて」みたいなことを、VR上でもやっているんですよ。VRのクラブも広いところは広くて、誰がどこにいるかわからないから。リアルのクラブと変わらないなと思いました(笑)。もうひとつ面白かったのは、オーストラリアのロナーのワールドに行くと、まずコンビニがあるんです。クラブに行くときって、入る前にコンビニでチューハイ

頭のなかにクラブ・シーンのマップがあるんですよね。知人のDJやアーティストがどこに住んでいるかという地図。そこに新しく加わった感じなんです、VRChatのシーンが。新しい島ができたイメージです。(Seimei)

買って1缶飲んでから行ったりしますよね。おそらくそれを再現しているんですよ（笑）。ちなみにそのロナーの横にはレコード屋さんがあって、そこにはぼくらの好きなコード9とかDJラシャドとかのヴァイナルが、売っているという体で置いてあったりします。

F 発展の仕方、コミュニティの形成のされ方が似ている気がしますね。コミュニケイションの本質みたいなものを見る瞬間もけっこうあります。乾杯のカルチャーもあるんですよ。

―― 素朴な疑問ですが、トイレのときはどうするんですか？

F ヘッドマウント・ディスプレイを外したらAFKモード（手動で、一時的に離席状態に切り替えるステータス）みたいな状態になるんですよ、それができない人はコントローラーを放置するから明らかにおかしいポーズになったりしています。

S 明らかに離席中だなというのがわかるようにしておけば大丈夫です。でもたまにわからず話しかけてしまうんですが、返事がないので「あ、これ離席してるんだな」という感じでわかります。

F あとヘッドセット装着したまま寝ちゃう人もいるみたいで、VR睡眠と言うらしいです。動かないけれど、マイクからはすごくいびきの音が聞こえているという（笑）。

S リアルのクラブでも寝てしまう人はいますからね（笑）。

VRはリアルの代わりじゃない

―― VRChat内でイヴェントやDJをやってみて、変わったことはありますか？

S ぼくは、頭のなかにクラブ・シーンのマップがあるんですよね。たとえばテクノのシー

リアルだとクラブの店員もDJもお客さんの層もだいたい知っていますし、出演DJからパーティの流れもある程度わかりました。でもVRでは知らない人が多い。これまで経験してきたクラブ・カルチャーをもう一回やり直している感覚がありますね。(futatsuki)

ンがあって、そのなかでもこっちは関東のシーンだとか、ハウスのシーンであればジャジー寄りだったり、フェスティヴァル向けのテック・ハウス系だったり、知人のDJやアーティストがどこに住んでいるかという地図。そこに新しく加わった感じなんです、VRChatのシーンが。新しい島ができたイメージです。コミュニティがあり、パーティも継続されていて、確立されていますから。

F――TREKKIE TRAXは長くやってきたので、リアルだとクラブの店員もDJもお客さんの層もだいたい知っていますし、出演DJからパーティの流れもある程度わかりました。でもVRでは知らない人が多い。リアルだと知らないDJだけど「このフランス人のDJめちゃくちゃいいじゃん」みたいな体験がありました。いまその人を追っかけて3回くらい観にいっています。これまで経験してきたクラブ・カルチャーをもう一回やり直している感覚がありますね。

――今後、TREKKIE TRAXがやったような試みは増えていくと思いますか?

F――発展性はあると思います。ただ、リアルのクラブの代わりになるかというと、違いますね。別物だと思います。今回ぼくたちは、リアルのDJでありながらVR上でパーティをやったわけですが、その流れが加速するかというと、そうはならないんじゃないかなというのが正直なところです。もちろん、別物のコミュニティとして発展はしていくと思いますが。

S――個人的にはVRのクラブは現実の代替品だとは思っていません。VRのシーンはVRのシーンで独自のコミュニティとして継続していくと思います。

F――リアルで著名なDJやアーティストがVR上でもDJやライヴをやるという機会自体は増えていくと思いますが、それでまるっと音楽シーンの状況が変わるわけではないと思いま

す。手段や選択肢がひとつ増えるということですね。

S 共存というか、並列していく。

F VRのぼくらのパーティに来てくれた人が、リアルのパーティにも行ってみたいって言ってくれました。そういう現象は起こるでしょうし、逆にTREKKIE TRAXのVRパーティを観てVRChatをはじめました、という人も出てくると思います。そういう影響の与え合いはあると思いますね。

S まだ黎明期なので、これから増えていくんじゃないでしょうか。

F いまは参入ハードルが高いがゆえに、いわゆるリテラシーが高い人が多いんですよ。それにコミュニティを広げたいという意識も強いので、新しく来た人たちにすごく良くしてくれるというか、サポートしてくれるんですよね。Twitterがはじまったのが15年前ですが、ぼくらはわりと黎明期からTwitterやInstagramをやっていました。そこで音楽好きが集まってレーベルができた。TREKKIE TRAX自体、Twitterがなかったらできていませんでした。いまのVRChatの感じは、そのときのようなワクワク感があります。なのでこれからVRChatはどんどん進化していくでしょうし、様々なコミュニティが生まれていくと思います。そのコミュニティがリアルの音楽シーンにも大きく影響を与えるようになっていくと思いますね。

（取材＝小林拓音）

TREKKIE TRAX 9th Anniversary : VRChat World Tour (Official After Movie)
https://www.youtube.com/watch?v=kcKBBca_EpI

COLUMN

アインクラッドはなぜ特別なのか

『ソードアート・オンライン』におけるアヴァターの「顔」

飯田一史

飯田一史（いいだ・いちし）
「現代ビジネス」「日刊サイゾー」などにマンガやウェブコンテンツ、子どもの読書、教育、近代仏教関連の記事を寄稿。著書に『ライトノベル・クロニクル２０１０-２０２１』『いま、子どもの本が売れる理由』ほか。エブリスタのオウンドメディア「monokaki」にて「Ｗｅｂ小説書籍化クロニクル」、出版業界紙「新文化」にて「ヤングアダルト最前線　10代は何を読んでいるのか？」連載中。

２００２年からウェブ上で連載され、２００９年から電撃文庫で刊行されている『ソードアート・オンライン』（ＳＡＯ）は、ＶＲＭＭＯＲＰＧ内で起こる事件を主人公キリトたちが解決していく物語であり、多メディア展開され、今年も新作映画『劇場版 ソードアート・オンライン－プログレッシブ－星なき夜のアリア』が公開されるなど、長きにわたり愛される作品となっている。１９９２年のニール・スティーヴンスン『スノウ・クラッシュ』や95年末始動の世界初のＭＭＯＲＰＧ『Meridian59』、96年の日本バーチャルリアリティ学会設立よりも後、２００３年の「セカンドライフ」サービス開始より前に書き始められた作品である。

茅場晶彦が作り出したアインクラッドの仕様はどこが異様なのか

今日では「『ＳＡＯ』から影響を受けた」と語るＶＲコン

テンツ／サーヴィスの事業者も少なくない。しかし、メタヴァースという視点から見たとき、『SAO』最初の舞台であるゲーム「ソードアート・オンライン」の世界、浮遊城アインクラッドはきわめて特異である。作中で茅場晶彦が作った

『劇場版 ソードアート・オンライン -プログレッシブ- 星なき夜のアリア』
10月30日（土）全国公開

あの世界のありようを模倣した例は、私の知る限り存在しない。と言っても、プレイヤーがログアウト不可な状態を強制し、ゲーム内の死がすなわち現実世界での死を意味する状態を作り出したこと、ではない。

アヴァターの外見のことだ。

たとえば『SAO』では、アインクラッドでの事件のあとで別のゲームである「アルヴヘイム・オンライン」（ALO）内での、キリト（桐ヶ谷和人）に対する、リーファこと血の繋がらない妹・直葉からの片恋慕が描かれる。リーファとキリトはお互い和人と直葉であることにしばらくの間、気づかない。なぜ気づかないのか。ゲーム内のアヴァターと現実世界の本人たちの外見が異なるからである。

何を当たり前のことを、と思うかもしれない。

しかし、もしリーファがキリト同様にアインクラッドにいて出会っていたなら、こんなすれ違いは起こっていないのである。

というのも、茅場はアインクラッド内にプレイヤーを幽閉したのち、彼らの装備（服装）は変えなかったが、ゲーム内での外見（顔や身体的特徴）を現実世界そのままのものに変えてしまったからである。つまりアインクラッド上なら、キリ

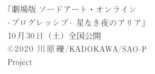

トとリーファは互いの正体をすぐ認識していたはずだ。

ただし、『ＳＡＯ』のなかでアインクラッドから帰還したのち、デスゲームと化したその世界でプレイヤー殺しに積極的に動いていた存在の謎を追うエピソードが描かれるように、アインクラッド上で流通するのは互いの顔だけであって、それ以外の個人情報をプレイヤーたちは知らない（あえて教え合えば話は別だが）。

対して、今日メタヴァースとくくられるサーヴィスでは、本名もアヴァターの姿も参加者同士が知らないものか、あるいは、ＶＲ空間上に設けられた会議室のように本名や所属組織については知っているが見えているアヴァターは本人の顔・姿そのままではない、というものがほとんどである。茅場が用意したアインクラッドの世界は異様なのだ。

アヴァターに理想の自分を投影することが封印された空間

自身がネトゲ廃人でセカンドライフなど２０００年代のメタヴァース・サーヴィスも積極的に利用していた経営学者、故・野島美保の先駆的な著作『人はなぜ形のないものを買うのか――仮想世界のビジネスモデル』（ＮＴＴ出版、２００８年）では、アンケート調査に基づきＭＭＯＲＰＧ『ラグナロクオンライン』や『リネージュII』のプレイヤーたちが「ゲーム世界のほうが〝自分らしい〟と感じる」と言うときには「違う性格」と「理想の自分」のふたつの要素が関係している、と結論づけている。現実世界とは異なる性格の人間を演じたり、理想の自分に近づけた振る舞いや外見を獲得できたりしたときにこそゲーム・プレイヤーたちは「自分らしい」と感じている、という奇妙な現象を野島は指摘する。

なぜＭＭＯＲＰＧのプレイヤーが現実世界と異なる自分を演じられるのか。アヴァターという似姿自体が現実の自分とは違う（変えられる）からであり、現実とは異なるゲーム内の名前を持ち「違う自分」として行動できるからだろう。

ところが『ＳＡＯ』の中では、プレイヤーが「こうありたい私」として振る舞うことを後押ししてくれる「現実とは違う顔・体型」であることが封印される。

正確に言えば、栗田宣義『メイクとファッション』や米澤泉・馬場伸彦『奥行きをなくした顔の時代』（ともに晃洋書房、２０２１年）で語られるように、現実世界でも人々は化粧やプチ整形などを通じて「盛る」。現実世界でも「かわいいは作れる」。そうやって自ら作り出したものこそが「自分らしさ」を感じる源泉となる。

アインクラッド編は読者の潜在的なルッキズムを映し出す

しかしアインクラッドにおいては、装備は変えられても、顔をいじることはできない。作中に記述があったか定かではないが、女性プレイヤーはすっぴんであることを強いられているのかもしれない。もしそうならば、「見られたい自分」を作るための顔に関する演出が現実世界以上に制限されているのがアインクラッドだということになる。「自分らしさ」を「作り出す」ことが制限されている不自由な場所であり、相当な抑圧を感じたプレイヤーもいたことだろう。

にもかかわらず、アインクラッド編の読者の多くは、おそらくあの世界にその種のしんどさ、窮屈さをさほど感じない。なぜか。キリトやアスナ、シリカやリズがみな美形だからであり、彼らが「見せたい自分」と「現実の自分の顔」とのギャップに悩むシーンがほぼ描かれないからである。ないしは、読者が彼らに自らの「理想」を重ね合わせて読んでいるがために、アインクラッドでは現実の顔のまま生きなければならないことの重さに気づかないからである。

メタヴァース上のアウシュヴィッツ

哲学者のエマニュエル・レヴィナスは、人間の倫理の基盤として互いの「顔」を置いた。レヴィナスは、どこの会社に勤めているとか収入がいくらだとかいった属性を抜きにした「顔」なるものの現前を強調する。しかし、現実世界には個人情報や名前すら剝奪されて互いの顔だけが向き合うような状況はほとんど存在しえない——ただし、フランクルの『夜と霧』などで描かれているナチス・ドイツ下のユダヤ人強制収容所は、そのような空間だった。出身地域も母語も異なる人間たちが「ユダヤ人」というだけで一同に集められたそこでは、顔と顔が出会い、死と隣合わせの極限状態のなかで人と人との倫理が立ち現れてきていたのだろう。つまりある面では、アインクラッドとはメタヴァース上にできたアウシュヴィッツである。CGで作られた顔や、メイクで盛りまくった顔同士が向き合っても生じ得なかった生々しい何かが、そこには生まれていたはずだ。

しかし、そんなものを現実に作ろうとするVR事業者はいない。『SAO』に影響を受けました」と語る事業者に「じゃあアヴァターの顔は本人の顔そのままのもの限定にしましょう」と提案したところで首を縦に振る人間はおそらくいない。そんな仕様はユーザーの大半が喜ばないからだ。

強制的な本名表示はしなかったという謎

しかし、メタヴァースが騒がれる今こそ、アインクラッドに置かれた人間の心理をシミュレーションすることは、メタヴァース上で顔の現前を強制された際に立ち現れてくる倫理についての思考実験としてはおもしろい。

興味深いことに、茅場はプレイヤーに対して本名表示を強制しなかった。単にプレイヤーに個人情報を登録させていなかったからそれができなかったのか、あえてユーザーネームのままでアインクラッドに放ったのかはわからない。ゲーム内の死が現実での死と地続きであることを強く認識させ、プレイヤーを萎縮させたかったならば本名強制でもよかったはずだが、それでは「ゲームらしさ」が失われるとでも思ったのか、はたまた現実世界での知名度や社会的な序列をゲーム内に持ち込んでほしくなかったのか——いずれにしても絶妙かつ奇妙な設定である。

常識外れな設定が私たちに示唆するもの

『SAO』の中でも、アインクラッド編でキリトたちが置かれた環境は特別なものだ。ALOやGGOなどとはまったく異なる。のみならず、現在のほかのどんなメタヴァース・サーヴィスとも異なる。

ゆえに、なぜ誰もアインクラッドの仕様を模倣しないのかを考えることを通じて、アヴァターや名前にわれわれは何を求めているのかが改めて見えてくる。

そしてまた、もしアインクラッドに類似した仕様のサーヴィスやメタヴァースを使ったメディア・アートを実装したときに何が起こりうるのか、どんな表現が生まれうるのかというオルタナティヴな可能性に気づくこともできるのだ。

【本予告】「劇場版 ソードアート・オンライン -プログレッシブ- 星なき夜のアリア」10.30公開
https://www.youtube.com/watch?v=XvJRE6Sm-lM

川原礫『ソードアート・オンライン』イラスト：abec、電撃文庫、2009年〜。全世界シリーズ累計2600万部発行。2010年代に新規に10代読者を獲得し続けた数少ないラノベ。

interview

池上英子

人間は古来よりずっとアヴァターを使ってきた

文明そのものを成り立たせるヴァーチャルの力

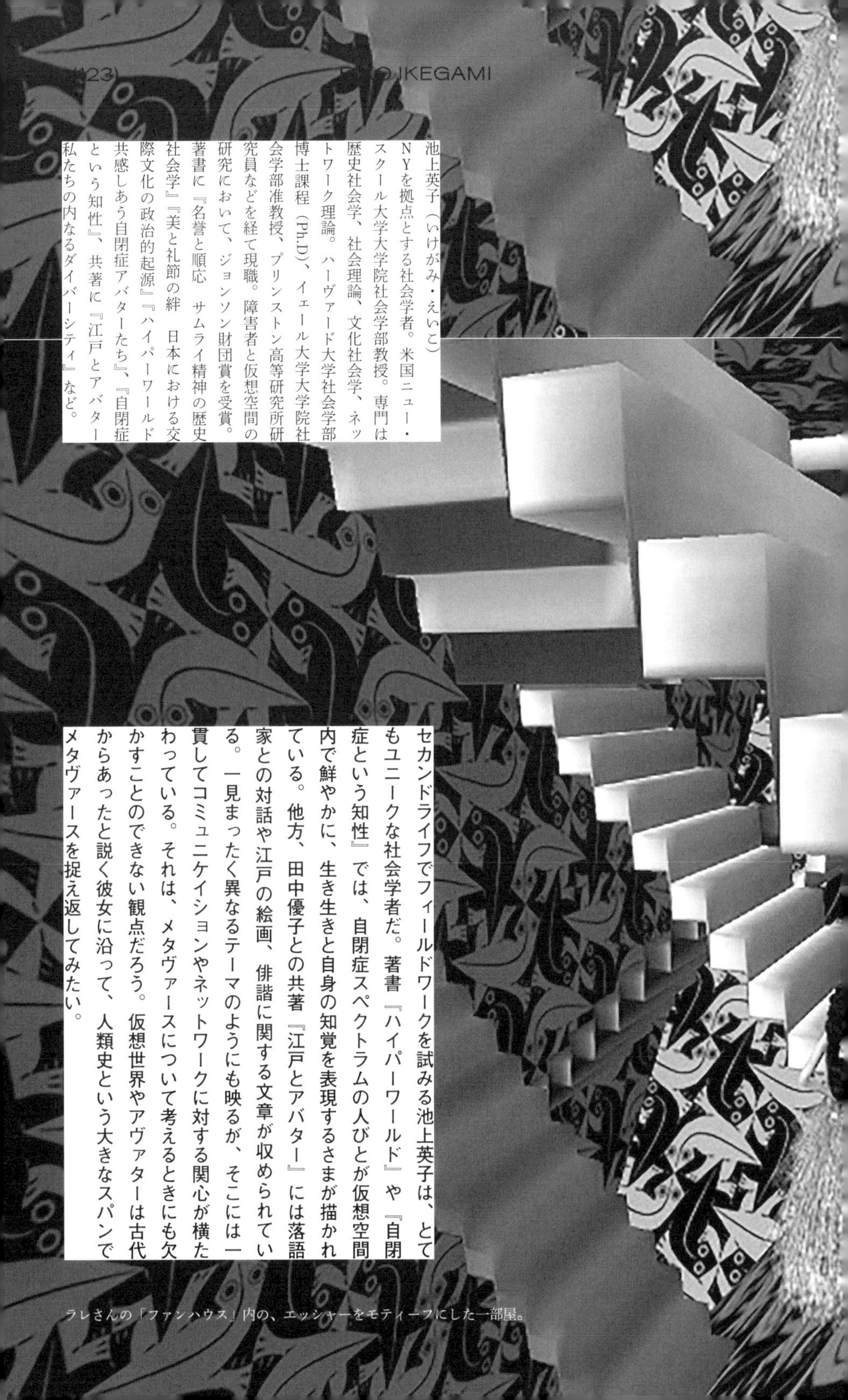

池上英子（いけがみ・えいこ）
NYを拠点とする社会学者。米国ニュー・スクール大学大学院社会学部教授。専門は歴史社会学、社会理論、文化社会学、ネットワーク理論。ハーヴァード大学社会学部博士課程（Ph.D）、イェール大学大学院社会学部准教授、プリンストン高等研究所研究員などを経て現職。障害者と仮想空間の研究において、ジョンソン財団賞を受賞。著書に『名誉と順応　サムライ精神の歴史社会学』『美と礼節の絆　日本における交際文化の政治的起源』『ハイパーワールド　共感しあう自閉症アバターたち』、『自閉症という知性』、共著に『江戸とアバター　私たちの内なるダイバーシティ』など。

セカンドライフでフィールドワークを試みる池上英子は、とてもユニークな社会学者だ。著書『ハイパーワールド』や『自閉症という知性』では、自閉症スペクトラムの人びとが仮想空間内で鮮やかに、生き生きと自身の知覚を表現するさまが描かれている。他方、田中優子との共著『江戸とアバター』には落語家との対話や江戸の絵画、俳諧に関する文章が収められている。一見まったく異なるテーマのようにも映るが、そこには一貫してコミュニケイションやネットワークに対する関心が横たわっている。それは、メタヴァースについて考えるときにも欠かすことのできない観点だろう。仮想世界やアヴァターは古代からあったと説く彼女に沿って、人類史という大きなスパンでメタヴァースを捉え返してみたい。

ラレさんの「ファンハウス」内の、エッシャーをモティーフにした一部屋。

仮想世界は太古から存在した

――池上さんは「ヴァーチャル」の概念を非常に広い視野で捉えられていますよね。

池上 仮想する力は、もともと人間に組み込まれているものです。たとえば人は、昨日のことを思い出したり、10年前のことをイメージしたりしながら、いまどうしようか決めることがありますよね。人間は現在においてだけでなく、過去に様々な人間関係や社会的なもののなかに放り込まれ、多様な記憶や体験を背負っています。それによってこそ人は存在しているとも言えます。その根源に仮想の力があると考えていますね。文明そのものも、ヴァーチャルの力があったからこそ発展したといえます。人間の初めてのヴァーチャルな作品はケイヴ・ペインティング（洞窟壁画）でした。それは言葉より早い時代。動物などを壁に描いて仮想の世界で大事なものを表現しました。自分のなかで見えたり感じたりしているものを、自己の外側の世界に出して共有するには、仮想の力が必要なんです。

音楽もヴァーチャルの力がなければ存在しえないでしょう。ボブ・ディランは歌手として初めてノーベル文学賞を授かりましたが、彼は大いにヴァーチャルの力を活用しています。ハーヴァード大学でローマやギリシアの古典文学を研究している教授がディランのリリックを分析するくらい（リチャード・F・トーマス『ハーバード大学のボブ・ディラン講義』萩原健太監修、森本美樹訳、ヤマハミュージックエンタテインメントホールディングス、2021年）、その詞は豊かなのです。

ディランの時代、ギリシアやローマの詩は、アメリカやヨーロッパでは中学や高校で必ず教えられていました。彼の詩にもその要素が反映しています。また他にも彼は、ニューヨーク公共図書館にこもって南北戦争の当時の新聞を読み込み、のちにそれらをリリックにしました。まるでホメーロスの戦記のように。欧米の文明の根幹になっているような古典が、彼の詞には溶け込んでいます。和歌にも、昔の作品を自分の現在の作品に取り込む本歌取りという手法がありますが、ディランも同じようなことをしているんです。

最近の歌〝Murder Most Foul〟はジョン・F・ケネディ暗殺を題材にしていましたが、そこにも南北戦争のイメージが入り込んでいます。仮想の力をものすごく上手に使うことで、西洋文明の数々のイメージをポップ・ミュージックに持ち込んだのがディランなのです。

いまインターネットのいろんなサイトでは、様々な人びとが仮想の力を駆使し、イメージを膨らませ、何かをつくり上げたり他者に大きな影響を与えたりしています。かつてそういったことはシェイクスピアやディランのような才能のある人の占有物と思われがちでした。現在のデジタル・ツールを使ってそれを表現することは一般人でもできますし、私が研究している、一般とは異なる認知構造の感性を持った人たちの中にも、そこで優れた自己表現をしている人びとがいます。

人間が仮想の力を使うことは、人間の存在自体に関わってきます。仮想の力を使わないことはありえません。たとえば、言葉を発しない人でも、何かを感じています。通常、人間は話し言葉と書き言葉の両方をフルに活用して何かをやりますが、人によってはその片方しかうまく扱えない人もいます。一般の人が使う表現方法では自分の感じていることを表現できない人でも、じつはすごく深く物事を見ていたり、他の人とは違う感性で物事を捉えたりしています。新しいデジタル技術、新しいメディアが登場すると、そういった方たちがより創造性を発揮し

文明そのものも、ヴァーチャルの力があったからこそ発展したといえます。人間が仮想の力を使うことは、人間の存在自体に関わってきます。仮想の力を使わないことはありえません。

たり、社会参加できるようになったりする可能性があると思っています。

——今日におけるメタヴァースの発展をポジティヴに捉えておられるわけですね。

池上 ポジティヴというよりはイネヴィタブル（不可避）だと考えていますね。どうしてもそちらの方向へ進んでいくでしょう。

たとえば家電が突然うまく動かないとしますね。現在であれば、マニュアルを読んだりウェブで情報を探したりして修理しようとします。それが3Dのヴァーチャル・リアリティであれば、アヴァターは「このパーツ開けてボタンを」と話しながら、ヴァーチャルの家電に触りながら教えてくれるかもしれません。誰かに手とり足とりで話してもらいながら直し方を教えてもらうようなやり方ができるようになるかもしれません。その場合、仮想空間内の家電は現実のものと似ていれば似ているほど良いということになります。医療の分野では、手術教育のシミュレーターなどでヴァーチャル・リアリティが広く使われています。それがより汎用化して仮想空間内で現実の物理環境を再現してシミュレートする「デジタルツイン」は、これから進んでいく方向性のひとつです。

セカンドライフでの池上さんのアヴァター、キレミミ（右）と友人のエリザ&ゼン。後ろに見えるのが研究所「ラ・サクラ」。

そんな便利さの追求とは別に、ゲームやサーヴィスが、人間の仮想の力を3Dで表現していく方向があります。つまり想像力の世界の拡大です。その両方が同時に進んでいくはずですから、これからいろんな種類のメタヴァースが出てくることになるでしょう。テクノロジー自体を否定することはできません。たとえば、かつては多くの先住民が、書き言葉＝文字を使わず、もっぱら話し言葉だけで豊かな文化を創り上げていました。だからといって一概に「文字は悪い」とか「文字を習得するな」とは言えませんよね。

――テクノロジーに関して、ご著書の『ハイパーワールド』に興味深い話が出てきます。アヴァターであるがゆえに表情を読みとらなくていいこと、物理的にハグができないこと、騒音がないことや予測不能の事態が起こらないことなど、現実の再現性が低い＝技術的に限界があるがゆえに、セカンドライフが自閉症スペクトラムの方々にとって過ごしやすい場になっているという指摘は目から鱗でした。テクノロジーが発展し、より再現性が高まっていくと、自閉症スペクトラムの方々にとっては過ごしづらくなってしまうのではないでしょうか？

池上　自閉症スペクトラムの方たちは、それぞれいろんな感性や認知特性を持っていらっしゃ

います。そのなかでセカンドライフにフィットした方たちが、「引き算」の世界で豊饒なものを生み出したという話ですね。

人間の認知構造や感性には多様性があります。ある特定のフルーツについて、それぞれの人が異なる色眼鏡をかけて、「おいしそう」「これは熟しているだろう」と判断しているのです。同じ赤いリンゴを見ても、受け取り方は様々です。他人がどのようにそのフルーツを見ているかは、その人の色眼鏡をかけない限りわかりません。

これは『江戸とアバター』にも書きましたが、柳家花緑さんという落語家の方は、驚くほどの言語能力をお持ちです。高座や演劇では怒濤のように言葉が沸いて出てきます。にもかかわらず、学習障害があって読み書き言葉の場合は大変な努力が必要だそうです。逆に、読み書きは非常に上手なのに、会話では全く言葉が出てこなくて話せないような人もいます。

そういった方たちは、社会一般の基準からすれば少し外れているため目立ちますけれど、それほど外れていない方であっても、現実社会ではみんな無理をしたり努力したりして、一般の基準に合わせて生きているわけです。

そこへ新しいインフラストラクチャーとしてメタヴァースが登場してきました。メタヴァースが、人びとのダイヴァーシティを受け入れるようなものとして、様々な得意不得意を持つ人たちの可能性を広げるものになるか、それとも特定の企業が儲かるために、多様性の中央値に合わせていくことになるのかによって、未来は変わってくるでしょう。

じつは、これまでイノヴェイションを起こしてきた人たちには、認知行動や感性のあり方が一般とは異なっている人が多かったのです。過去を振り返れば、人間の文明の歴史では、真にテクノロジー自体を否定することはできません。たとえば、かつては多くの先住民が、書き言葉＝文字を使わず、もっぱら話し言葉だけで豊かな文化を創り上げていました。だからといって一概に「文字は悪い」とか「文字を習得するな」とは言えませんよね。

新しいものはそのときの社会の基準から少し外れた人たちによってつくられてきました。
メタヴァースがそういう人たちを排除していく方向へと進んでいくのであれば、メタヴァースの価値は下がっていくでしょう。逆に、メタヴァースが様々な認知構造や感性に対して開かれ、世間の基準から少し外れたような子どもたちがうまく学習できるよう補助したり、彼らの創造性をエンカレッジするようなものになるのであれば、ひとつのツールとしていろいろな可能性が出てくると思いますね。

セカンドライフ体験記

――セカンドライフの面白さやセカンドライフで体験したことで印象に残っていることをお聞かせください。

池上 セカンドライフの面白いところは、ゲームのように会社がコンテンツをつくるのではない点です。そのため逆にゲームをする方は「何をしていいかわからない」と言うそうですが、社会学者の観点からすると、新たに発見された開拓地にみんなで移民して、ルールをつくって何かをはじめる実験のようです。実際に社会をつくって実験することは、現実では不可能です。様々な人びとが集まって、どうやったら喧嘩せずにやっていけるか一緒に考える、そういう経験は現実ではあまりありませんよね。
セカンドライフではジェンダーを変えることも簡単ですし、複数のアカウントを用いていろんなアヴァターを使うこともできますから、普段はできないような価値観の行動を試すことができます。それはとても面白い経験ですね。他の国に留学して異なる考えに触れると、考え方が変わることがありますが、それと同じような経験をすることができます。

セカンドライフが最も盛んだった2006〜2008年頃は、いろんな企業や大学がセカンドライフ内にサイトをつくっていましたが、そういう場所はあまり面白くありませんでした。やはり「下」から出てきたもののほうが面白いんです。企業は広告としてサイトを作りますから。すでにリアルの世界が広告に溢れているのに、わざわざヴァーチャルでも広告を体験しようとは思いませんよね。

最も印象に残っているのは、自閉症スペクトラムのラレさんが作った「ファンハウス」という空間です。私の本では「ビックリハウス」と訳していますが、彼が3Dで自分の脳内の構造を130の部屋で再現した空間です。自閉症スペクトラムには様々なパターンがあります。ラレさんは「視覚優位」の方でした。それも写真のような静止画ではなく、動きのある世界が好きな方です。エッシャーの作品をモティーフにした部屋や、ダリの「溶けた時計」をテーマにした部屋もありました。

セカンドライフのなかでラレさんはビックリハウスの創造主でありオナーであり、全てをコントロールできる主権者であり、他の人びとに影響を与えるようなクリエイターでした。リアルの世界では自閉症スペクトラムに加え、経済的な問題も抱えたマージナルな存在の彼が、ビックリハウスにいるときは訪問者を楽しませたり翻弄したりすることができます。それは本当に素晴らしいことだと思いました。

――『ハイパーワールド』に出てきた事例では、個人的に多発性硬化症の方のお話が印象的でした。

池上　ジェントル・ヘロンさんですね。セカンドライフ内の私の研究所は「ラ・サクラ」というのですが、それはヴァーチャル・アビリティという非営利組織がつくったサイトの一角を「賃借」しています。ヴァーチャル・アビリティには、病気の方であったり目や耳の不自由な方であったり、様々な障害者の方がいます。彼女はそこのリーダーでした。「ヴァーチャル・アビリティ」という名称は、ディスアビリティ（障害）という言葉に対するカウンターです。そこには「ヴァーチャルだけれど、アビリティだ」という主張が込められています。

仮想世界のなかには、他人に影響を与えるような存在感のあるアヴァターがよくいます。でも、現実では体の具合が悪く突然亡くなってしまうケースがあります。そういった方のためにセカンドライフ内ではよくお葬式というかメモリアル・イヴェントを開催していました。たくさんのアヴァターの友人たちが集まり、「彼女はこんなアドヴァイスをしてくれた」「このアヴァターとこんなふうに楽しい経験をした」と、いろいろな思い出をシェアする追悼の場です。私も参加したことがありますが、彼らの活動からは、現実の人間とアヴァターとしてのその人とは別の存在ではなく、アヴァターは同じ人間のなかにあるものが別の仕方で現れたものなのだということを学びました。

アヴァターとは何か？

――池上さんのもともとのご専門は歴史社会学ですよね。どういった経緯から仮想空間や自閉症スペクトラムに関心を持つようになったのでしょう？

池上 初めて世に出した本は、『名誉と順応――サムライ精神の歴史社会学』（NTT出版、森本醇訳、２０００年）という本で、サムライの精神構造を分析したものでした。サムライの文化は、

仏や神は目には見えないけれど、それらが人間の世界に降りてきたものをサンスクリット語でアヴァターと呼んだのです。インターネットを用いるか否かにかかわらず、人間は古来よりずっとアヴァターを使ってきたのです。

ある意味で仮想世界みたいなものなのです。たとえば、江戸時代のサムライは武士なのに戦っていませんよね。戦争は終わっているのに、「サムライとはなんぞや」と悩み続けたのが徳川時代のサムライでした。戦がない世界において、サムライがいかにサムライとして生きていくのかというのは非常にヴァーチャルな話です。

その後、サムライのような「武」ではなく、日本の美的伝統である「文」、詩歌などに関心が移り、美の社会的意味について研究していました。『美と礼節の絆――日本における交際文化の政治的起源』（NTT出版、2005年）という本です。サムライの本と同じく、原著は両方ともまず英語で出版されその後日本語に翻訳されました。この本では、日本の前近代社会の社会構造はタテ社会だと言われ、身分や出自によって様々な制限を受ける時代が長く続いたとされていますが、実際にはお茶や俳諧など、趣味の世界を共有することによっていろいろな仮想世界がつくられていたことを分析しています。日本の文化の面白いところですが、漢詩のサークルではこれ、狂歌のサークルではこれ、というふうに、ちょっとした文化人には複数の名前がありました。これまさしくアヴァターです。

アヴァターとはもともとインドの言葉で、仏教やヒンドゥー教に出てくる語です。仏や神は目には見えないけれど、それらが人間の世界に降りてきたものをサンスクリット語でアヴァターと呼んだのです。アメリカの美術館で展示されている日本や中国の曼荼羅の説明でも、分身仏が「アヴァター」という語で説明されています。それが現在ではデジタル世界における分身のことを指すようになったわけですが、インターネットを用いるか否かにかかわらず、人間は古来よりずっとアヴァターを使ってきたのです。

私は社会学者ですので、自分自身が誰なのかというアイデンティティは、周囲や環境、他の人との交流のなかで変化するという考え方をします。たったひとつの「私はこれだ」という芯があるわけではなく、関係性のなかでつねにアイデンティティが変わり続けていく。人は新しい経験を通して、それまでの何かを切り離し、それまでとは違う自分を出していくのです。外に関係性のネットワークがあるだけでなく、自分のなかにも認知的ネットワークがありますよね。そうしたしがらみというかネットワークを一時切り替える。それをデカップリングと言います。たとえば、現在こうしてZoomで話していますが、小林さんはいまは音楽のことを考えていませんよね。

――たしかにそうです。

池上　いま小林さんは音楽のライターではなくメタヴァースのライターになっています。それがデカップルということです。そういうふうに、人間は日々いろんな切り替えをやっています。その切り替えがうまく組み込まれているのが、日本の趣味の文化だったのです。表向きの生活は身分社会、でも趣味の世界は別世界で対等の交際が可能。そして楽しい。だから江戸人は「はまった」のですね。

そのような切り替えを実践する場を「パブリック圏」と私は呼んでいます。そこは思いがけない人と会う場かもしれませんし、新しい情報を得る場かもしれません。人間にはそのようなスペースが必要であるということです。現在、人と人を出会わせるパブリック圏として最もパワーを持っているのはインターネットですから、思い切ってそちらの分野へ参入したわけです。実際にセカンドライフをやってみて、一皮むけたと自分でも思っていますね。

――今後もし『マトリックス』の世界のようなものが実現されたら、アヴァターやメタヴァースはどうなっていくと思いますか?

池上 古代中国の荘子による説話に「胡蝶の夢」というのがありますよね。『マトリックス』と似ています。どちらが仮想世界でどちらが現実なのかがわからなくなるという話です。

日本人や東アジアの人が持っている自己観は、比較的メタヴァースと親和性があると思っています。自己とは何かという問いを追究し、自己を規定している基盤を探すのは西洋的な価値観ですが、自己とははかなくて夢のようなものだという発想は東アジア的です。

ですので、日本からもっと面白いメタヴァース、人間の複層性を活かせるようなメタヴァースが出てきたらいいなと思っています。フェイスブックとは逆の方向ですね。フェイスブックは実名で登録し、リアルな情報をシェアしますが、人間はそれだけでは捉えられません。いろいろな自分を活かしつつ他人と交際できる文化をつくり上げるようなものが、日本の伝統文化に根ざしたところから何か出てこないかなと期待していますね。

今後はいろいろなメタヴァースが出てきて、並列して存在することになるでしょう。それを、どこかひとつの企業が帝国的に侵略して吸収するのか、それとも、それぞれは個別に存在したまま、アヴァターが自由に移動できるようになるのか。私は後者のほうがいいなと思います。実際にどうなるかはわかりませんが、国民国家が乱立しても、パスポートを持っていれば他の国に行けるような状態が理想的だと思います。

(取材=小林拓音)

COLUMN

「分身」の夜のうた

VRの淵源、アルトーの「潜在的現実」によせて

白石嘉治

白石嘉治（しらいし・よしはる）
上智大学ほか非常勤講師。専門はフランス文学。編著書に『文明の衝突という欺瞞』『ネオリベ現代生活批判序説』（新評論）、『不純なる教養』（青土社）、『VOL lexicon』『反‐装置論』（以文社）、共著に『文明の恐怖に直面したら読む本』（Pヴァイン）など。

そのとき人間は再び裏返しになって踊ることを覚えるだろう。

——アルトー『神の裁きと決別するため』

頭がいいということは、カント的であることである——レヴィ＝ストロースがこう発言していたことが思いだされます。レヴィ＝ストロースはいまの文化人類学のもとをつくりました。しかも、いわゆる「現代思想」は彼の『悲しき熱帯』（一九五五年）からはじまります。もちろん、それ以前もいろいろ本はでていました。でも、むずかしくてあまり売れない。『悲しき熱帯』ではじめて、最先端の思考がひろくうけいれ

られる。それが商業的なジャンルとしての「現代思想」の出発点です。

『悲しき熱帯』が売れた理由は、レヴィ＝ストロースが小説のように書いたからです。学問的なキャリアはうまくいかない。離婚もする。専門書なんてだれも読まない。それで開き直る。じぶんの気持ちもたっぷりこめる。愚痴もこぼす。友だちはえらくなっているのに、ブラジルの奥地で未開人という「人間のくず」（！）を相手にしてる、云々。爆発的に売れたけれど、師匠からは絶縁されてしまう。

そういうレヴィ＝ストロースです。頭がいいとか、カント的であるとか、けっして肯定的な意味では使っていません。カントはむずかしい。カント以前の哲学の本は、たいくつでも読めないことはない。でも、カントから異常に複雑になる。なにをいっているのかわからない。たいくつすらできない。解説書に何冊も目をとおして、とりくむしかない。

どうしてそんなに込み入っているのかというと、カントは現実から撤退しようとするからです。たぶん、当時のフランス革命がこわかったのでしょう。カントも革命に期待していました。でも、現実の「人民」は想像をこえていた。刑務所を襲撃する。議会に乱入する。議員の首を切って議長につきつける。手がつけられない。だからカントは「人民」の現実を遮断する。「もの自体」にはふれられないという。そして手のこんだ議論をして「人間」のうるわしい表象をねりあげる。レヴィ＝ストロースのことばは、こうしたカントにむけられています。頭がいいのは、カントみたいに現実をさけているからだろう。現実を遮断すれば、スマートにやれるのはあたりまえじゃないか。

前置きが長くなりました。でも、アルトーのいう「潜在的現実（réalité virtuelle）」を考えるには必要な迂回です。アルトーは第一次世界大戦後のシュルレアリスム運動の中心人物でした。第一次世界大戦は、機関銃や毒ガスという、大量殺戮兵器がはじめて投入された戦争です。ヨーロッパは深く傷つきます。もう既存の秩序を信じることはできない。そうしたなかで、フロイトのいう「無意識」を手がかりに、あたらしい現実をつくりだす。それがシュルレアリスム運動ですが、アルトーじしん、俳優として特異な思考をつむいでいきます。そしてその集成『演劇とその分身』（一九三八年）におさめられた論考「錬金術的演劇」のなかで、つぎのように「潜在的現実」ということばをつかいます。

すべての真の錬金術師は、演劇が蜃気楼であるように錬金術的象徴がひとつの蜃気楼であることを知っている。そしてほとんどすべての錬金術の書物に見出される演劇的な事柄と原理についての絶えざるあの暗示は、そこで登場人物、オブジェ、イメージ、そして一般的には演劇の潜在的現実を構成するものすべてが展開される面と、そこで錬金術の象徴が展開される、純粋に仮定的で実体のない面との間にある同一性の感覚（錬金術師たちはそれを極度に意識していた）として理解されねばならない。
（A・アルトー『演劇とその分身』、鈴木創士訳、河出文庫、二〇一九年、七七頁）

アルトーは演劇をつうじて、あたらしい現実をもたらそうとしていました。戦争で世界は瓦解する。にもかかわらず、そんなことはなかったかのように、演劇はこれまでどおりのやり方で現実を表象しつづける。カントが「人民」を回避しつつ「人間」の表象をねりあげていったように。もちろん、戦後の深刻な社会問題が舞台にのせられることもありました。でも、戦争の裂開から露呈した「もの自体」にふれることはない。アルトーのいう「残酷」にふれることもなければ、そこからあたらしい現実がもたらされることもない。既存の「人間」の表象によりかかった物語をたれながす。

アルトーのよく知られた「器官なき身体」ということばも、そうした「人間」の表象にたいする根本的な拒絶をふくんでいます。だからこそ、上記の引用のように「演劇」は「錬金術」とかさねあわされる。錬金術は物質という「もの自体」にむきあう。しかも近代的な科学とはちがって、物質の性質をみてとるだけでは満足しない。金という輝かしい実在の生成をさぐりあてようとする。同様に、アルトーにとっての演劇とは、「もの自体」の「残酷」から来たるべき現実をとりだすこころみでした。彼じしんもいうように「金をつくるという演劇の操作」でした。

とはいえ、演劇は上演されなければならない。上演も表象も、おなじ「représentation（再現）」です。演劇の上演によって、カント以来の、あるいは第一次大戦後の表象の体制をしりぞけることができるのか？　同語反復的な袋小路にはまりこんでしまうのではないか？　アルトーは演劇を「分身（double）」としてとらえかえして、難局をきりぬけようとします。「分身」とは二重化です。ふつうの演劇の再現も「分身」

＝二重化ですが、悪しき「分身」にすぎない。「面白味のないコピー」にすぎない。それにたいして、アルトーにとっての演劇とは、「もの自体」へとむかう「分身」でなければならない。それは表象を裏返すように二重化し、その基層にふれようとする。

じつのところ「潜在的現実」とは、後者の意味での「分身」によってもたらされる、いわば前表象的な現実にほかなりません。カントがしりぞけた「もの自体」といってもいい。「人民」の「残酷」といってもいい。錬金術が夢見たように、そこでは無限の生成変化が生じるのでしょう。だから、とらえどころがない。「蜃気楼」であるほかない。それでも現実であることにかわりはない。表象されなくても、無意識が現実であるように。蜂起した「人民」についても、おなじことがいえるはずです。くりかえしますが、アルトーはこうした演劇の「分身」がとらえる「潜在的現実」をつうじて、もうひとつの現実を生きようとしました。彼の不幸は、おそらく精神科医ラカンとの出会いでしょう。ラカンにとって、狂人とは「現実界」にとどまろうとする者です。カントのように頭がよかったのでしょう。ラカンの診断にもとづいて、アルトーは晩年のほとんどを精神病院ですごすことになります。

こんにちのヴァーチャル・リアリティは、アルトーの「潜在的現実」にその淵源があるといわれます。アルトーに忠実なのでしょうか？ あるいはカント的なスマートさにまどろんでいるのでしょうか？ われわれとしては、さいごに二冊の書物にかんたんにふれておきたい。まずは村澤真保呂の近著『都市を終わらせる――「人新世」時代の精神、社会、自然』（ナカニシヤ出版、二〇二一年）です。そこでは「二次的自然」という概念が呈示されています。環境問題の切迫のなかで「都市」に執着することはゆるされない。とはいえ、自然にかえることもできない。自然の「分身」としての「二次的自然」を生きるほかない。こうした見通しのもと、「狐憑き」が肯定的に言及されますが、想いおこされるのはクラストルの名高い『国家に抗する社会――政治人類学研究』（渡辺公三訳、書肆風の薔薇、一九八七年）です。クラストルによれば、未開社会はたんなる自然ではありません。国家ないし文明にあらがう規範がゆきわたっている。平等が尊重されるものの、それなりに息苦しい。だから夜ごと孤独に歌をうたう。「狐憑き」と同様の憑依が反復される。クラストルを引くならば、夜のうたには「普遍的な夢、あるがままの自己から脱しようという夢が眼ざめている」。「潜在的現実」の「蜃気楼」がたちあらわれているともいえるでしょう。「二次的自然」はたんなる外ではありません。国家や都市の、あるいは文明の外が自然であるならば、「二次的自然」はそうした外をさらに二重化する「分身」にほかならない。いわば外の外であり、憑依がおこり、夜の「普遍的な夢」がうたわれる。いまやヴァーチャル・リアリティがメタヴァースへと亢進しようとしています。そこでは表象の体制と決別した「二次的自然」が生成するのでしょうか？　「分身」の夜のうたはうたわれるのでしょうか？　「人間」にとってかわるべく「人民」はよびおこされるのでしょうか？　われわれはくりかえしアルトーの「潜在的現実」にたちかえる必要があるように思われます。

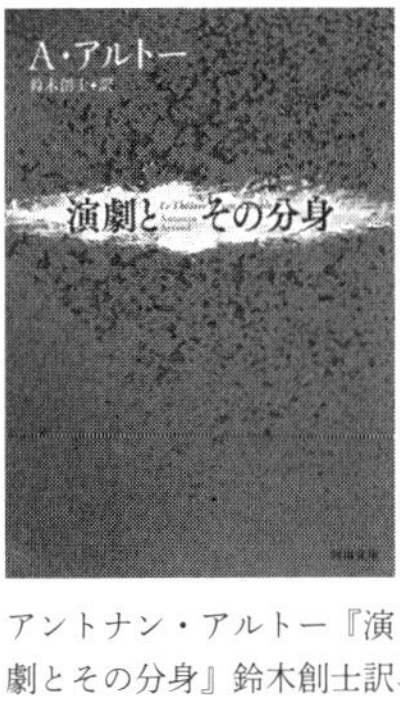

アントナン・アルトー『演劇とその分身』鈴木創士訳、河出文庫、2019年。「仮想現実（潜在的現実）」ということばが初めて用いられた1938年の書物の新訳版。

interview

藤嶋咲子

「声」の熱量を、意志を表現する

ヴァーチャル・デモの可能性

藤嶋咲子（ふじしま・さきこ）
画家。2Dと3D、アナログとデジタル、現実と仮想現実……これらの狭間で、実験的な作品を展開。密なパターンを〝勝手な秩序〟でカラフルに表現し、コロナ以降はバーチャルデモなどSNSを利用した作品も発信中。

Twitterではたまにものすごく興味深い、わくわくするような出来事に遭遇することがある。緊急事態宣言下にあった2020年5月のある日。TLに流れてきた「1RTごとに1人増えます」というツイートには、国会議事堂の前にたったひとり、ぽつねんと人が佇んでいるCG画像が添付されていた。ハッシュタグは「#検察庁法改正の強行採決に反対します」。ツリーを追うと、みるみる人が増えている。最終的に国会を包囲するアヴァターの数は4万を超えた。こんな抗議の方法もあるのかと舌を巻いた。以降も架空のデモは続けられ、今年7月には「#東京五輪の中止を求めます」が実行されている。重要なのは、これがひとつの政治的主張であると同時に、アートすなわち表現そのものでもあるところだ。発案者の画家、藤嶋咲子さんにメールで質問に答えていただいた。

画像提供：藤嶋咲子

——まずは画家としての藤嶋さんの活動についてお伺いしたく思います。普段はおもにどういった場でご活躍されているのでしょうか？

藤嶋 普段は、アクリル絵画を手がけており、最近ではCGや樹脂なども取り入れて、作品を制作・販売したり、展示をしています。また、岩波『科学』の装画をはじめ、様々な作品提供のご依頼も受けています。

——公式サイトには「2Dと3D、アナログとデジタル、現実と仮想現実」のはざまで作品を展開されていると記されています。そこで拝見できる絵はまさに、無機質なもの・幾何学的なものと、パステル的なもの・人肌のぬくもりのようなものとのあわいを行く作品のように感じました（音楽でたとえると、インダストリアルとドリーム・ポップが同居しているようです）。このような作風・制作スタイルに行き着くに至った過程を教えてください。

藤嶋 ありがとうございます。工場や高架、トンネルなど、巨大で無機質な人工物には幼いときから強く惹かれるものがあり、そこに私自身の特性である、密度の高い繰り返しパターンへの執心とパステル的な色彩感覚を投影して、作品を描き重ねてきました。そして静置された人工物が蠢いて生命を帯びるような、相反するものの間に通じる感覚が生まれることに面白さを感じて、2Dと3D、アナログとデジタル、現実と仮想現実と言ったギャップの間に表現を模索し続けています。

——画家になろうと思ったきっかけは？ 幼いころから絵画や、視覚的な表現に興味があったのでしょうか？

藤嶋 そうですね、興味はありました。一方で会話や活字といったコミュニケーションが苦手

現実世界ではなかなか声を届けにくい方たちが（例えばリアルなデモには、物理的・時間的・身体的な制限からは参加しにくい）、声を届けられる新しい形の提案となればと思っています。

で、絵や表現といった活動の方が自分を素直に表現できるという面もあったと思います。

――藤嶋さんの存在を知ったのは、昨年Twitterで「検察庁法改正の強行採決反対」のヴァーチャル・デモをされているのを見かけてからでした。非常にユニークな試みだと思いましたが、このアイディアはどのような経緯で思いついたのですか？

藤嶋　そのころ私自身はちょうどCGを勉強しはじめた時期で、社会的にはコロナ禍による最初の緊急事態宣言下に、検察庁法改正の強行採決が行われようとしていました。私としては、検察庁法改正の強行採決に反対したい気持ちがある一方で、コロナ禍において感染拡大のリスクを上げてしまうような、現実に人が密に集まるデモに参加することには抵抗がありました。そんな声を届けたくても届ける方法がないジレンマの中で、思いついたアイデアでした。

――ヴァーチャル・デモは、具体的なプロセスとしてはどのようなものなのですか？　また、やる際にどのような苦労がありましたか？

藤嶋　リツイートした人を参加者としてカウントし、その人数分のヴァーチャル人物像（アヴァター）を、ヴァーチャル空間の舞台に人力（PCを使って）で発生させていきます。

舞台ごとに（建物などの）3Dモデルを用意すること、RT数が1万

画像提供：藤嶋咲子

を超えると人物モデルの配置が大変でした。

――これまで何回ほどされてきたのでしょう？

藤嶋 7回ほど行いました。

――これまでヴァーチャル・デモをやってみて、反応はどうでしたか？

藤嶋 思った以上の反応がありました。

毎回感じることですが、政治や様々な事柄に対して、届けたいけれど、届いていない声が、本当に多いのだと感じます。まだまだ実験的で、説得力や実効力もこれからですが、私のデジタル世界での試みが、現実世界ではなかなか声を届けにくい方たちが（例えばリアルなデモには、物理的・時間的・身体的な制限からは参加しにくい）、声を届けられる新しい形の提案となればと思っています。

――否定的な意見もあったのでしょうか？

藤嶋 もちろんあります。

――今回の号はメタヴァースという3D仮想空間を特集しています。いずれその仮想空間上でも、アヴァターに扮した人びとが仮想の国会前に集合して抗議したりするような、ヴァーチャルなデモがおこなわれるようになるのではないかと予想しているのですが、藤嶋さんはどう思われますか？

藤嶋 とても面白いですよね。

もちろん現在のように、リアルな集会が開きにくい際の代替として非常に意義あることだと思います。

そしてさらに、リアルな集会よりも、意義あることになる可能性もあると思います。

まず、より多くの、性別問わず、お年寄りから子供まで、様々な人が声を届けられるかもしれません。それに、大きな声に埋もれてしまっていた小さな声も拾い上げられると思います。

一方で、政治的に意味のあることにするためには、政治家や著名人、マスメディアとの接点を持つことなどにより、リアルな実効力を上げて行く必要があると思います。経済はヴァーチャル空間で成り立つかもしれませんが、政治はそこまで簡単に自由にはなれないと思います。

――ちなみに、実際のデモにもよく行かれていたのでしょうか?

藤嶋 実際のデモには足を運んだことはありません。

――政治的なことや社会問題については、以前から関心が高かったのですか?

藤嶋 いいえ。

――テクノロジーの発展は、社会的弱者やマイノリティにとって、プラスになると思いますか?

藤嶋 はい。テクノロジーは社会を豊かにしてくれると思います。人が技術をどう使うかが重要かと思います。

――今後のご予定、またはチャレンジしてみたいことをお聞かせください。

藤嶋 来春に美術館での展示に参加させていただきます。新作の絵画作品を発表する予定なので楽しみにしています。

(質問=小林拓音)

COLUMN

現実における性差の歪さをいかに変えることができるか

漫画『ルサンチマン』が突破した壁

小谷真理

小谷真理（こたに・まり）
SF&ファンタジー評論家。国内外でフェミニズム批評活動をしている。著書『女性状無意識』で日本SF大賞受賞。共訳書ダナ・ハラウェイ他『サイボーグ・フェミニズム』で日本翻訳大賞思想部門受賞。他の著作に『テクノゴシック』など、訳書にジョアナ・ラス『テクスチュアル・ハラスメント』がある。『性差事変――平成のポップカルチャーとフェミニズム批評』（青土社）は近刊予定。

メタヴァースの原型的発想が登場したのは、世界が石油による重工業化社会からシリコン精製技術の革新による情報化社会へと、明らかにシフトした80年代前半で。当時、SF界ではサイバーパンク運動が始まり、カナダのSF作家ウィリアム・ギブスンの第一長編『ニューロマンサー』の描く未来社会が、その嚆矢とされた。

サイバーパンクSFでは、近代以降に構築されてそれがナチュラルなものだと長く信じられてきた男性性／女性性という性差構造も、産業構造や技術革新によって変化する可能性を示唆していた。仮想現実空間ではそもそもアヴァターが使われるため、現実世界の性差に縛られることなく自らの好みに従って自由に選べる。フェミニズムSFでも仮想現実空間は脱性差が可能か、という話題が取り上げられることもあった。ただし、欧米では、サイバーパンクは、コンピュータサイエンス大好き少年たちのムーヴメントとして捉えられることが多く、どちらかというと、現実世界で力を持たない虚弱な男性が、ネット世界ではヒーローになっていく展開が多い。つまり古典的な男性性や女性性と言ったステレオタイプへの評価は、今に至るも温存される傾向がある。

例えば、アーネスト・クライン『ゲームウォーズ』（2011年）を例に取ろう。本書はスピルバーグが映画化した『レディ・プレイヤー1』の原作小説。ヴァーチャル・リアリティを使用した完全無欠のゲーム世界「オアシス」の創造者が没し、彼がオアシスに隠した卵を見つけ出した者に莫大な遺産を与える、と遺言したため、全世界のプレイヤーがそれこそ血眼になって探索行を展開する、という設定だ。現実世界では貧困層の恵まれないゲームプレイヤーのウェイド少年もまたそれに参加し、数々の困難を経て、オアシスの宝を探し出す。

サイバーパンクSFが80年代に登場した時には、仮想現実世界がどのようなコンセプトなのかが具体的にわかりにくかったものだが、映画『マトリックス』三部作を経て21世紀に書かれた『ゲームウォーズ』は実にわかりやすかった。VR世界が過酷な競技の世界と設定され、現実世界と対比されながらお話が進んでいくためである。そして、そうか、仮想現実世界は、人間にとって、現実の困難を克服すべく「やり直す」ための装置なのか、と思い当たった。

特に性差の面では、ウェイド少年がゲーム世界で恋に陥った相手と、現実世界で出会う光景は忘れられない。アヴァターは理想化された風貌だから、現実はそれとは全く違う、失望してしまうような人物かもしれない、とウェイドは考える。しかし、小説では「いや、相手がどのような人であっても愛する」という心理にいかに到達していったかが細やかに描かれていた。

もっとも相手の女性はさほど突飛ではないごく平凡な女子であった、というオチがついていたので、もう少しそこのところに性差構造のエグさを塗りこめてもよかったかもしれない。

このように、VR世界の存在意義は、あくまで現実世界でうまくいかないことのやり直し、という欲望に対応しており、しかも男性中心目線であるので、それに沿ってハッピーな結末へ進むのであった。

一方日本の場合はどうなのだろう?

仮想空間における別人生というと、かなり古い作品だが、SF作家・筒井康隆氏の弟である筒井俊隆氏が『SFマガジン』1961年2月号に発表した「消去」という作品が忘れられない。筒井兄弟はそろってSFファンとして知られ、家族で同人誌『NULL』を出していて、「消去」も初出誌は『NULL』だった。つまり『SFマガジン』掲載時点で再録だったわけだが、あまりにすごい話だったので、ハヤカワのSFシリーズ(いわゆる銀背と呼ばれて崇められている本格SF叢書)『SFマガジンベストNo.2』(1964)に再々録された、という経緯がある。幼かった私も叔父からもらった同短編集で読み、衝撃を受けた。

主人公の正彦は、人生に絶望して自殺する。その後目覚めると、その人生は仮想現実世界で体験されたもので、彼を含む人類は、遠宇宙の惑星で、脳髄だけにされて機械に接続されながら様々な人生を何千回も体験させられていた、と説明される。脳髄だけの存在になったのは人口爆発に伴う処置だったのだ。その後システムがエイリアンからの攻撃を受け、世界全体に危機が迫る。超能力者である正彦はシステムをコントロールしていた人工知能とともに敵と戦い、折しも地球からの援軍もあって危機を脱する。救助に来た地球人らは、そんな仮想現実世界に頼らなくてももう大丈夫な世界だと言い、脳髄にされた人間たちは全て地球へと帰還するが、主人公は様々な体験を通して愛するようになった人工知能のユミ(そう、ヒロインは人造美女)との愛に生きるべく、たった一人惑星に残り、記憶を再び全消去して、仮想現実世界で新しい人生を立ち上げ、再び彼女にめぐりあう。

なんともロマンティックな話である。男性にとって理想の女性とは、やはり現実の女ではなく、人工的に創造されたものなのか、と考えさせられる。まあそれで本人が満足すれば良いのだろうが、ともあれこの物語でも仮想現実世界は現実をやり直すための装置であり、性差構造と価値評価は、温存されていく。

こうした仮想現実世界での(男性の欲望する)ロマンス事情に一石を投じるどころか破壊し尽くしてしまったのが、2004年から小学館の『ビッグコミックスピリッツ』に連載された、花沢健吾『ルサンチマン』である。

物語のスタート時点において、主人公坂本たくろーは、モテない、出世も望むべくもない、全身から常に水分と油分を垂れ流すキモい男として登場する。そんな彼を救済すべく友人・越後がゲームの仮想現実世界へ誘う。たくろーとどっこいどっこいのキモオタ越後は、そこではラインハルトと名乗る美丈夫で数多くの女（ＡＩ）にかしづかれたヒーローであった。驚愕しながら坂本は一念発起して美少女ゲームを買い、ゲームキャラである月子との付き合いが始まる。

現実世界での主人公がキモさを基調とする絵柄であるのに対し、仮想現実世界での人々はいわゆる自然に好ましい容貌の世界であり、その落差の激しさが、ああ仮想現実世界ってまさに究極の現実逃避だな、と読者に思わせる。

ただし現実逃避とは、この場合悪い意味ではない。ここまで生きにくかったら、仮想現実世界で人工物でも良いから恋人との愛を育んだほうが幸せなのではないか、と思わせるほど癒しの世界である。とはいうものの、そうした単純な認識からは想像もつかないほど、この物語は深い。

仮想現実空間は、普通男性をスタンダードにする男社会という現実世界ではとても生きにくい思いをしている女性や、障害者、人間以外の生物が安心して存在できる居場所であるが、物語は、そこでの疑似体験が、現実世界にいかにフィードバックされるか、現実にある性差の歪さをいかに変えることができるか、というところまで、詳細に探求しているからだ。

特に女性と普通に性関係を持ちたい非モテ系の男性の欲望だけではなく、女性の欲望にも注意を払っているのが読みどころである。それはどんな欲望か。

恋愛が長続きせず結婚もしないキャリア女性の長尾は、たくろーがそのキモい外見の下に、真面目で優しい長所を持っていることに気づき好意を抱く。しかしたくろーが仮想現実世界の月子、つまり理想の脳内彼女からなかなか離れないということに気づき、苛立つ。たくろーにとって現実を認識することとは、己の現実的な姿を直視することに他ならない。だから生身の女性を含む現実からまるごと目を背け、幻想美女へと向かってしまうのだ。月子もそれを承知でたくろーを誘惑するので、長尾は月子と対決する。

この辺は典型的に異性愛的な三角関係として描かれるが、とりわけ月子がアメリカ国防省の放ったコンピュータウイルスで無力化され、解体されていく過程で、そのプログラムの奥底に、生への渇望を内包していることが判明するのは重要だ。しかもそのことを、長尾は察知するのである。

なんといつしか人工知能内部に、生命の根本原理である生への欲望が生まれていたのだ。長尾は月子の生への想いに触れ、最後に残された遺伝子データを拾い上げ、自らの体内に月子を宿す。複数の人間とAIが関与する、異性愛にも同性愛にも機械愛にもカテゴライズできない不思議な妊娠出産の過程を経て、記憶を無くして生まれ直した月子は、現実世界の住人となる。

男のコンプレックスを解消するために構築された異世界の産物を、現実の人の姿に受肉化させる試み。他方、長尾はワーキングウーマンとして現実世界を生きているが、その生活からは女性の孤独感が滲み出ている。彼女はたくろーとは違う形で、仮想現実空間で孤独感を癒すが、そこで欲望するのは男を得ることではなく、娘を生むことだったのだ。

『ルサンチマン』は、性差論を探求した年間ベスト作品に送られるセンス・オブ・ジェンダー賞の話題賞を2005年に受賞した。物語では、現実の性差観にまつわる不愉快極まりない体験を、複雑なプロセスを試行しながら受け止めていくスペースとして、仮想現実空間が使用されている。逃避でも良いのだ。居場所を確保し、決して絶望のまま死んではいけない。だから、もちろんそこにずっと居続けても良いのだけれど、マイノリティや下層民が現実から逃れるための仮想現実世界とは、実はその先の段階で、ならば彼らが正当に生きられる仕組みを持った現実世界をどうやって構築すべきかを展望するための装置でもある。

メタヴァースは、幾多のマイノリティが多元的に生きられる世界観を有する、マルチヴァースとしての機能を持ったシステムではないか――物語はそう訴えかけるのだ。

Essay

COLUMN

異世界へ転生すると何が起きる？

メタヴァースの先にあるもの

三田格

三田格（みた・いたる）
1961年LA生まれ。共著に野田努と『TECHNO definitive』、粉川哲夫と『無縁のメディア』など。共編書に『別冊ele-king　永遠のフィッシュマンズ』、『ゲゲゲの娘　レレレの娘　らららの娘』、編書に『戸川純全歌詞解説集　疾風怒濤ときどき晴れ』『DOMMUNE OFFICIAL GUIDE BOOK Vol.1』『あぶくの城　フィリップ・K・ディックの研究読本』など。

この春、『永遠のフィッシュマンズ』という別冊本を編集しながら横目で睨んでいた本がある。同じエレキング・ブックスから一足先に発刊された『ライトノベル・クロニクル2010－2021』である。姪たちが夢中で読んでいたライトノベルを横から覗き込んだり、感想を述べ合うために自分でも読んでみたりしたので、それらが多く取り上げられ、あたかも体系づけられているかのようなタイトルに惹かれたのである。姪たちが読みたがっていた本のなかにはエロ本にしか見えない本もあったし、彼女たちが評価のポイントとして挙げるキーワードにはどうしても限界があり、ライトノベルに対して持っていたイメージがあまりに混沌としていたので、全体像や問題点がコンパクトに整理されていればいいなと思ってページを繰り始めた。そして、半分を過ぎたあたりから、やたらと異世界への「転生」というテーマが目につき始め、後半に差しかかる頃には「転生」だらけじゃないかという不安に僕は包まれていく。僕が中学生の頃は小林信彦や平井和正が現在のライトノベルのようなジュブナイル小説を量産していて、異形の存在が戦いに明け暮れる話ばかり読みふけっていた記憶があるけれど、1行目でさっさとこの世界を諦めて10行目には異世界に「転生」しているといったパターンはそうはなかったと思う（ブックオフの異世界ファンタジー年表を見ると、そうした傾向は映画『アバター』が公開される前々年の2007年から急増しているらしい）。恩田陸や西尾維新には少しはあったような気もするけれど、しかし、ここまで「転生」だらけだったということはなかっただろう。『鋼の錬金術師』や『進撃の巨人』のように初めから異世界が舞台になっているわけではなく、わざわざこの世界を「捨て」て異世界へ「転生」するのである。しかも、『ライトノベル・クロニクル2010－2021』によれば元の世界に戻ってくる例はほぼないという（この指摘が同書では最も驚いた）。長月達平『Re:ゼロから始める異世界生活』（MF文庫J）にはこんな一節がある――「『異世界召喚』なんて現象は、思春期男子にとっては一種の夢であるといっても過言ではない」（2012）。

「転生」を扱った作品というと、僕は日渡早紀『ぼくの地球を守って』（1986－1994）という少女マンガがどうしても思い浮かぶ。ラブコメの要素を軸に日常と「前世」がパラレル・ワールドのように進行していくSF長編で、最近の感覚でいえば「こっちから仮想空間へ行く」ではなく「仮想空間からこっちへ来た」と、移動の方向が逆になったような作品である。推理の要素が強いこともあり、現在の感覚では「アヴァターの正体は誰だ」という読み方になるのかもしれないけれど、当時は主人公たちの「現在」が「前世」に大きく左右されているという読み方にしかならなかった。そして、同作の読者だったかどうかは定かではないけれど、1989年に徳島県で小中学生の女子数人が前世を知るために解熱剤を大量に服用して自殺騒ぎを起こし、日渡が同コミックスの8巻で自分の作品はフィクションだと強く訴えなければならないという事態に発展する。同作は、それ以前からオカルト雑誌の読書欄で頻繁に「前世は戦士だった」と呼びかけ合う子どもたち（「戦士症候群」と呼ばれた）を題材にしていたこともあり、その熱を煽ったともされ、そのテンションは日渡が自分で自分の作品に冷水を浴びせなければならないほど高まっていたということになる。また、「前世は戦士だった」という認識の「戦士」というアイデンティフィケーションは平井和正『幻魔大戦』(1979-1983)からダイレクトに受け継がれた感覚だとされ、これが『ぼくの地球を守って』によってオウム真理教へと橋渡された面も少なからずあったのではないかと考えたくなる誘惑も強い。前世や戦士といったアイデンティフィケーションの背景にあるのは消費万能の時代における孤独や無力感であり、共同性の回復を渇望する心性のポテンシャルはその後の『沈黙の艦隊』からネトウヨなどに枝割れしていった感もあるほど深いものがあったといえる。いずれにしろバブル経済の裏側ではこの世界を「捨て」て異世界へ「転生」するという感覚が一部の子どもたちに蔓延し、勝ち組と負け組に分かれ始めた社会のなかで、彼らが後ずさりしながらこの世界を捉えていたことは間違いない。このような世界に嫌悪感を示しながらも、この世界を捨てずにとどまること=日常の肯定をフィッシュマンズが彼らの曲の重要なテーマとしていたこともまた同じ時代の落胤だったと、そんなことまで考えてしまったというか——死ぬほど楽しい毎日なんて　まっぴらゴメンだよ(〝DAYDREAM〟)。

『ぼくの地球を守って』が読まれ、「こころの時代」を訴える文化人たちによってオウム真理教が賞揚されていた時期と現在がどれぐらい似ているのかはわからないけれど、ライトノベルが「転生」だらけになっているというタイミングでポスト・インターネットを標榜した「メタヴァース」が希求されていることは、ちょっと怖い気もしなくはない。たとえば平面の情報でしかないアマゾンが3D化し、自分のアヴァターが立体化した本を手にとって買うか買わないかを吟味するという程度なら大した変化には思えない(いちいち新刊の立体見本までつくらなければならない編集部の苦労は大変そうだけど)。しかし、現実に戻ることなく、アマゾンで買い物をするでもなく、その空間にずっと止まりたいというスペースにいて、他のアヴァターたちと「異世界」を構成し始めると、それは「転生」に一歩近づくも同然だろう(映画『コングレス未来学会議』はまさにそれ)。それこそメタヴァースには「ここではないどこか」であることが期待され、それに答える力が備わっているのではないかと。ポール・トーマス・アンダーソン監督『ザ・マスター』やチャールズ・マンソンを回顧する諸作、さらには快進撃を続けるアリ・アスター作品から『マーサ、あるいはマーシー・メイ』のような小品までアメリカでは２０１０年代にカルト教団を題材にした映画が次から次へとつくられた。コメディ・ライターのティナ・フェイはそうした機運を『アンブレイカブル・キミー・シュミット』というＴＶシリーズに仕立てて話題をさらっている。現実の世界でも３年前にネクセウムの代表キース・レニアが逮捕され、マーケティングの会社を装っていた彼の教団が女性会員を性奴隷として扱い、焼きごてまで当てていたという実態が明らかになりつつある。ちょうどこの原稿を書いている５日前、スーパーマンの相手役だった女優のアリソン・マックが教団の勧誘役を務め（エマ・ワトスンも勧誘されたらしい）、教祖とのセックスを強要した罪などで３年間の禁固刑が言い渡されたばかり。ヨガやマインドフルネスで活気づいていたニューエイジのダークサイドが一気にクローズ・アップされた事件であり、カルトにはよくあることながらレニアの信者たちは「ウイ・アー・アズ・ユー」という別組織で活動を続け、女性たちの狂信ぶりとは裏腹に、彼女たちがいかに現実に絶望していたかを窺い知ることができる事件でもあった。いわく「ネクセウムに入会した全員に言えることは、彼女たちが自分たちの生活を根本から変えられると大きな夢を抱いていた」ということ。ちなみにＵＫのテクノ・アーティスト、ブラック・ドッグは同事件を題材に〝Sex Cult NXIVM Reprise〟という、なんとも不気味な曲を２０１９年にリリースしている。

カルトだけに話を偏らせたいわけではない。ヨーロッパでトラブルが続き、若者離れの進むフェイスブックが起死回生を賭けて取り組む「メタヴァース」にザバザバと水を差したいわけでもない。「フォートナイト」で行われたトラヴィス・スコットのライヴや「どうぶつの森」にバイデンが民主党の広報室を設置したことなど、メタヴァースの可能性はどんな方向にも開かれていることだろう。自分の代わりにロボットが会社に出勤していくという映画『サロゲート』をアヴァターに置き換えるという発想もありかもしれない（既存の企業が社屋をメタヴァースに移せばいいだけだし）。端末もなくなり、メガネだけかけていれば行きたいところへ行った気になれて、好きな人に会った気になれるという並行世界が誕生するということは実に喜ばしいことに違いない。ただ、やはり気になるのは「メタヴァース」を待望する人たちがメンタルを甘く見ているというか、ＳＮＳがこれまでに何人の人の命を救って何人の人を死なせたかは知らないけれど、たかがインスタグラムに写真をアップするだけで無限の承認欲求にさいなまれ、SNSから離れるために更生プログラムまで発動させてきた人間の弱さが気になってしまうのである。それこそメンタル・ヘルスを軽視した発言を何度も繰り返してきたフェイスブックがその担い手だと思うとなおさらというか（投資額で最も多いのは中国のテンセントらしいけれど）。好きな人がすぐ近くにいるかのように感じられる一方で、たとえばツイッターなどで罵詈雑言を浴びせてくる人たちもすぐそばまでにじり寄ってくるのかなあとか、誰に話しかけても口を聞いてもらえないというような仮想のいじめは回避できるのだろうかとか、これまで書き言葉だけで済んでいたコミュニケーションが話し言葉に置き換わるわけだから、言語以外のメッセージも読みとらなければならなくなり、それはそれで別種のストレスが増大してしまいそうな気もしてくる。米ツイッター社はこの9月1日に「安全モード」と呼ばれる新機能の導入を検討していると発表した。迷惑行為から利用者を保護するために嫌がらせ行為を繰り返したアカウントを一時的に停止するなどあらゆる人があらゆる人と繋がれる「交流」の可能性を抑制し、制度化するということのようだけれど、であればメタヴァースも話題とその理解度をマトリックス化し、その総体として個人をサイバースペース上で再構築するというのはどうだろう。現実と違って、特定の話題について理解度の異なる人間はメタヴァースでは「出会う」ことは許されず、これが階層化を生み、固定化されることを避けるために「向上心」もプログラムとして組み込んでおく（理解度の高い人たちとの交流はチャレンジとして許可されるというような）。それもまたディストピアでしかないのだろうか。

COLUMN

もうひとつのデジタル世界は可能だ

プライヴァシーの向こう側

エフゲニー・モロゾフ

新型コロナウイルス感染症（Covid-19）を受けて、シリコンヴァレー（GAFAMなど米国巨大IT企業の総称）が提唱するデジタル・テクノロジーによる「ソリューショニズム」を政策として導入する国家が増えている。デジタル庁を設置した日本政府もそのひとつだ。かねてよりシリコンヴァレーを痛烈に批判してきた著者はデジタル・テクノロジーが国家や資本主義と結びつくとき、監視社会が進展し、個人の活動は制限され、「貧困や不安定な生活、絶望が生まれる」と警告。誰もが平等に利用できる非営利のデジタル・インフラを、ある種の「公共財」として整備するための新しい制度づくりを提唱する。以下は『ル・モンド・ディプロマティーク』本紙ブログに掲載された記事「Un autre monde numérique est possible: Au-delà de la vie privée」の全訳である（2021年5月11日公開）。（訳者）

エフゲニー・モロゾフ（Evgeny Morozov）ジャーナリスト、ベラルーシ出身。グーグルやフェイスブック、アップルなどシリコンヴァレーが思い描く、デジタル・テクノロジーを駆使した「ソリューショニズム」を楽観的な理想主義として痛烈に批判。知識人やジャーナリスト、政治家、アーティストらが参加する公共的なデジタル言論プラットフォームThe Syllabusを開設している。

2021年初め、プライヴァシー保護を声高に主張してきた人々は次々と勝利を収めた〔訳注1〕。この3月、グーグル・グループ企業の持株会社アルファベットは自社の検索エンジンを使ってウェブ・サイトを訪問する個人ユーザーの追跡をやめると発表した。この決断はサード・パーティーcookie〔第三者が発行するcookie（ウェブ・サイトがユーザーのブラウザに保存するデータ片）のこと〕を段階的に廃止することを目的とするより広範な取り組みのひとつに位置付けられる。サード・パーティーcookieは古くからある技術のひとつだが、データ共有という今日的なカルチャーを特徴付ける〝放任主義〟に責任があるとして論争の的になり、次第に非難の対象にもなっていた。

アルファベットは今後、cookieを使って個人ユーザーを追跡する代わりに、機械学習機能を使ってユーザーを自動的にコホート〔cohort：群れ、集団〕にグルーピングすることになる。今後、広告のターゲットになるのは個人ではなくコホートの方になる。もちろん、アルファベットはユーザーをコホートに編成するためデータ収集をするのだが、広告主はユーザーのブラウザにはアクセスせずに、コホートを配信先として選ぶという考えだ。

この分野全体が動きはじめている。4月にアップルは、フェイスブックのような外部のアプリ開発業者が自分たちのユーザーを追跡する方法を再編成するOS〔基本ソフト〕に重要な改編をもたらした。今後、ユーザーは自分のデータの収集を許可するには明確な同意をする必要がある。当初、フェイスブックはこの変更に反対していたが、その後、「ほんの少量の個人データ」に依拠した「プライヴァシー保護の強化を可能にする」広告技術の開発を見込んで立場を変えた。

民主主義の発展を全体的に見渡すと、「ピュロスの勝利」〔損害が大きくて割に合わない勝利のこと〕と言えるのではないか？ ＩＴ業界の権力を正確に理解することなしに、プライヴァシー保護に最も熱心な擁護者たちは、データ保護に関する現行法に違反しているとして大企業を攻撃するのが常だ。

こうした戦略は際限なく法律違反が繰り返されることを前提としている。いまやアルファベットは（恐らくフェイスブックも間もなく参入することだろう）、プライヴァシー保護を尊重すると同時にカスタマイズされた広告を作り出すため、機械学習機能の活用を急いでいる。そうなればプライヴァシーの問題を前面に押し出すことが賢いことだったとは言えなくなるだろう。

同様の傾向は「テック企業」〔ＧＡＦＡＭなどＩＴを活用している企業のこと〕が最近、パニックを撒き散らした他の分野でも起きそうだ。テック企業は「フェイク・ニュース」とデジタル中毒を取り上げることで社会全体に拡散している「苦痛」の問題を次なるターゲットとして選択し、事態の鎮静化を図るという。こうした問題をデジタル・プラットフォームは、私が「ソリューショニズム」〔訳注2〕と呼んでいる思考法を持ち出すことで解決しようとしている。それは、最新テクノロジーに訴えることで、個人の好みに合わせて完全にコントロールされた危険のないデジタル生活を提供してくれるというものだ。アップルはいつも通り、先陣を切ってデジタルによって得られる効率と満足感がどの程度のものなのかを測定するツール一式をユーザーに提供しはじめた。

現在、出現している「ヒューマン・テクノロジー」を旗印にした運動は、良い方針をたくさん打ち出してはいるが、おそらく、それだけに「ピュロスの勝利」後に敗北が待っているのではないか。というのも、巨大IT企業は将来、「ヒューマンである」と同時に「金儲けになる」方法を見つけ出すに違いないからだ。皮肉なことに、テック企業はプライヴァシー違反だとか非人間的などと非難されればされるほど、大衆から合法的に金を稼ぐチャンスを増やしている。その際、中傷者にとって非常に価値のあるプライヴァシーを約束通り守り通すことのできる能力を自画自賛もしている。

それゆえ、私たちは巨大IT企業に対するより広範な批判を打ち立て、彼らのソリューショニズムの思考法がいかに社会に損害を与えるのかについて、もっと納得のいく説明を見つけなければならない。

大切なのは、現行のシステムの中で、IT企業が誇示するイノヴェーションへの愛着に騙されることなく、イノヴェーションを担うことが許されるのは誰であり、どのような条件においてなのかという問いを立てることだ。IT企業のトップは、私たちにデジタル技術による創造的破壊〔デジタル・ディスラプション〕を保証しているにもかかわらず、ユーザー、プラットフォーム、スポンサー、アプリ開発業者など相変わらず同じ素材を持ち出して、食欲を減ずるようなメニューを提供し続けている。

テック企業の制度的構想とはただ単に、社会のためになるデジタル・インフラの利用方法の方向性を変える可能性のある他のアクターを拒否するものにすぎない。フェイスブックより3年早くスタートしたウィキペディアは別として、図書館や美術館、郵便局といった、通信や教育に関して人間の欲求を満足させてくれる多様で刷新的な制度はどこにも見当たらない〔訳注3〕。

現在のデジタル環境の中で他のいかなるタイプの制度が可能だろうか？　この問題についての研究を開始する代わりに、政治家たちは巨大IT企業に制度設計のプロセスを丸投げしてしまった。大規模な実験を可能にするインフラ整備の代わりに、現行のインフラそのままで良しとし、同じ企業によっておよそは有料サービスで運用されたままだ。

当然、主要な企業は、スタートアップか、少なくともデジタル・プラットフォームと自社のＯＳの中に取り入れられ課金が可能となるアプリケーションとして全く新しいデジタル制度が出現することを待ち望んでいる。

結局、現在のデジタル業界は自分が言うほどイノヴェーションに好意的ではない。デジタル業界は、巨大ＩＴ企業が取り決めたルールを守らない制度や組織をひどく嫌っている。デジタル業界は美術館や図書館のための素晴らしいアプリケーションを作り出す際には優れた能力を発揮するが、デジタル世界で実現される美術館や図書館がどのようなものであるのかを思い描くことができない。結局、これもやはりスタートアップの仕事になるのかもしれない。

最近、巨大ＩＴ企業が提示したプライヴァシー保護はまやかしでしかない。事実、民主主義にとって最大の障害となるのは、政治権力に対する巨大ＩＴ産業の独占的支配であり、したがって、私たちが構想する制度に対する独占的支配でもある。そして私たちが巨大ＩＴ産業を手懐けることができるとしたら、それは無軌道なソリューショニズムに食らいつくことではなく、この権力を再分配することによってでしかない。

（訳＝土田修）

訳注1　２０１８年5月、「世界で最も厳しい」と言われる欧州連合（ＥＵ）の一般データ保護規則（ＧＤＰＲ）が施行され、データ収集時にユーザーの明確な同意を必要とするなど企業側に情報管理の徹底を求めている。ＧＤＰＲはcookie情報など氏名を含まないデータも「個人情報」とみなし、２０２０年12月から２０２１年5月までの摘発件数は２３０件以上にのぼっている。著者は「プライヴァシー保護」によっては巨大ＩＴ企業の独占的支配を突き崩すことができないと指摘する。

訳注2　最新のデジタル技術が感染症や公害、飢え、犯罪といった世界の大問題を解決し「世界を救う」と主張するシリコンヴァレー独自の発想。モロゾフは新型コロナウイルス感染拡大をきっかけにソリューショニズムに走る国家が増え、巨大ＩＴ企業が社会と政治のインフラを支配する世界が出現すると警告している。

訳注3　筆者は、最新テクノロジーによって正義・連帯・平等といった価値を実現することができないばかりか、ネオリベラリズムと結びつくことで貧困・格差・絶望が生み出されるとし、図書館のように誰もが非営利のサーヴィスを利用できる新しい公共的なデジタル・インフラを考案することで社会変革を促す新しい制度の構想を提案している。

土田修（つちだ・おさむ）
ジャーナリスト、ル・モンド・ディプロマティーク日本語版編集委員。著書に『調査報道　公共するジャーナリズムをめざして』（緑風出版）、『南海の真珠カモテス　元学徒兵のフィリピン医療奉仕』（邂逅社）、共著に『日本型新自由主義の破綻　アベノミクスとポスト・コロナの時代』（春秋社）など。

編集後記

仮想空間が話題にのぼるとき、しばしば「仮想」は「ヴァーチャル」の訳語として適切ではないとの主張がなされる。たしかに、「ヴァーチャル」を「アクチュアル（現勢的）」とのセットで考えるなら、そうかもしれない。むしろ気になるのは、なぜそのとき「空間」のほうは看過されるのか、ということだ。仮想世界や仮想現実についても同様である。きっと仮想は、空間（や世界や現実）よりも魅力的なのだろう——そんなことを考えてしまったのは、ちょうど本書を企画していた8月半ば、空間に関する興味深い論集『惑星都市理論』（平田周・仙波希望編、以文社）を読んでいたからだった。

本書の企画の原点になったのは、宇川直宏さんが運営するライヴ・ストリーミング番組「DOMMUNE」の6月30日の回だった（「XR実験番組au 5G Presents「NEWVIEW DOMMUNE」」の第二回）。出演者の田中〝hally〟治久さんと今井晋さんが語る「メタヴァース」の歴史と現在に、大きく刺戟されたのがはじまりだった。おふたりには本書の制作過程でも多くの助言をいただいている。記して感謝したい。また、作業を手伝ってくれた渡部政浩くんにも厚くお礼を申し上げたい。彼らの尽力なくして本書は完成しえなかった。本当にありがとうございました。（小林）

ele-king 臨時増刊号
仮想空間への招待——メタヴァース入門
２０２１年11月12日　初版印刷
２０２１年11月12日　初版発行

編集　小林拓音（ele-king）
装丁　渡辺光子
協力　今井晋／田中〝hally〟治久／渡部政浩
井上明人／土田修／野田努（ele-king）／森嶋良子

発行者　水谷聡男
発行所　株式会社Ｐヴァイン
〒１５０-００３１
東京都渋谷区桜丘町21-２　池田ビル２Ｆ
編集部：ＴＥＬ　０３-５７８４-１２５６
営業部（レコード店）：ＴＥＬ　０３-５７８４-１２５０
ＦＡＸ　０３-５７８４-１２５１
http://p-vine.jp

発売元　日販アイ・ピー・エス株式会社
〒１１３-００３４
東京都文京区湯島１-３-４
ＴＥＬ　０３-５８０２-１８５９
ＦＡＸ　０３-５８０２-１８９１

印刷・製本　シナノ印刷株式会社

ISBN 978-4-910511-06-1